Le rôle de

l'image
de soi

et du

savoir-faire
au bureau

Catalogage avant publication de Bibliothèque et Archives Canada

Salvas, Ginette

    Le rôle de l'image de soi et du savoir-faire au bureau

    (Collection Affaires)

    ISBN 978-2-7640-0994-9

    1. Présentation de soi. 2. Savoir-vivre – Affaires. 3. Relations humaines. 4. Qualité de la vie au travail. I. Titre. II. Collection: Collection Affaires (Éditions Quebecor).

BF697.5.S44S24 2007   158.2   C2006-941956-6

LES ÉDITIONS QUEBECOR
Quebecor Média
7, chemin Bates
Outremont (Québec)
H2V 4V7
Tél.: 514 270-1746
www.quebecoreditions.com

© 2007, Les Éditions Quebecor
Bibliothèque et Archives Canada

Éditeur: Jacques Simard
Conception de la couverture: Bernard Langlois
Illustration de la couverture: Veer
Conception graphique: Sandra Laforest
Infographie: Claude Bergeron

Nous reconnaissons l'aide financière du gouvernement du Canada par l'entremise du Programme d'aide au développement de l'industrie de l'édition (PADIÉ) pour nos activités d'édition.

Gouvernement du Québec – Programme de crédit d'impôt pour l'édition de livres – Gestion SODEC.

Imprimé au Canada

Ginette Salvas

Le rôle de l'image de soi et du savoir-faire au bureau

LES ÉDITIONS
Quebecor
QUEBECOR MEDIA

Remerciements

Je remercie mes parents et mes grands-parents qui m'ont inculqué le sens des responsabilités et des valeurs en me léguant leurs connaissances et en prêchant par l'exemple. Ils ont été les premiers artisans de la personne que je suis devenue.

Je remercie également les gens qui ont suivi mes formations au fil des ans. Grâce à leurs témoignages et à leurs commentaires, j'ai pu améliorer sans cesse mes présentations. L'excellence demeure pour moi un processus en constante évolution.

Introduction

Ce livre m'a été inspiré par les gens que j'ai côtoyés depuis les 40 dernières années de ma vie et qui ont, sans le savoir, contribué à façonner ma personnalité et ma culture.

Ayant terminé des études commerciales, j'ai commencé tout au bas de l'échelle et, grâce à ma ténacité et à l'appui de mes collègues de l'époque, j'ai atteint des sommets de plus en plus élevés jusqu'à l'accomplissement complet d'un de mes rêves : partager mes connaissances si durement acquises avec les gens. Mon cheminement de carrière a été assez régulier pour l'époque. Après l'obtention d'un diplômes d'études générales et commerciales, j'ai travaillé tout d'abord comme commis de bureau dans un commerce de détail. Quelques années et employeurs plus tard, j'ai été promue comme secrétaire et, encore plus tard, comme adjointe au président d'une entreprise manufacturière. Pendant mes emplois, j'ai étudié la bureautique et l'administration dans le but précis de me perfectionner davantage afin d'atteindre de meilleurs résultats. C'était pour moi un défi personnel, jamais on ne me l'a imposé.

Mes patrons, presque tous d'origine étrangère, ont su m'aider à développer une curiosité envers leur culture, à mieux les comprendre et à les accepter. Alors que je passe en revue les différentes personnes avec lesquelles j'ai travaillé, je réalise que chacune a laissé sa marque à sa façon.

Je me souviens d'un patron d'origine italienne qui a été d'une patience inouïe envers moi. Lors de l'embauche, je lui avais dit que je parlais l'anglais alors que je ne le parlais que très peu. J'avais bien appris l'anglais à l'école mais de là à travailler en anglais, il y avait une marge. Ce patron a été patient avec moi. Il m'a encouragée. Il n'hésitait pas à me corriger afin de me permettre de m'améliorer. Jamais il ne m'a fait un reproche. J'ai assez vite appris la langue anglaise. Je dois vous dire que les directeurs de cette même entreprise, qui étaient d'origine scandinave et qui utilisaient l'anglais comme langue au bureau, m'ont causé à cette époque de sérieux maux de tête. Je me demandais si j'étais correcte lorsque je répondais « oui » ou « non » à leurs questions. Était-ce ce qu'il fallait répondre ? Je vérifiais plus tard avec des collègues si mes réponses étaient pertinentes. C'est comme cela que j'ai appris. Je suis certaine que beaucoup d'autres personnes, à cette époque, ont fait la même chose.

En lisant les offres d'emploi dans les journaux, j'ai très vite réalisé qu'une secrétaire bilingue gagnait pas mal plus d'argent qu'une personne qui ne parlait que le français. Je me suis lancée dans cette aventure bien résolue à réussir. J'étais prête à apprendre et, surtout, curieuse et disponible. L'apprentissage de l'anglais m'a drôlement servi lorsque j'ai été invitée à participer à des groupes de travail aux États-Unis, à faire partie de conseils d'administration, à prononcer des conférences et à assister à des formations sur le plan international.

Quelques années plus tard, j'ai obtenu un nouveau travail ainsi qu'une promotion comme adjointe au président d'une entreprise, d'origine scandinave, et à son aide, d'origine belge. Cette fois, la langue du travail était l'anglais, puis le français. De nouveaux apprentissages, de nouvelles satisfactions. Et la vie a continué.

Ensuite, j'ai eu un patron d'origine juive. C'est lui qui m'a appris l'art de la communication et les relations avec les clients, en plus de l'importance du travail d'équipe. Je me souviens que, lors de l'embauche, il m'a dit : « J'aime la franchise. Si tu veux aller chez le coiffeur, ne me dis pas que tu as un rendez-vous chez le médecin. » Cet emploi a représenté pour moi une belle aventure !

En 1975, je suis devenue directrice de bureau pour l'entreprise fondée par mon mari. L'associé principal pour qui j'ai travaillé directement était d'origine tchèque. L'entreprise a grandi très vite et, cinq années plus tard, elle est devenue chef de file dans son domaine au Canada. Aujourd'hui encore, soit trente ans plus tard, on parle de cette entreprise comme un modèle à suivre. À cette époque, parmi les employés que j'ai supervisés se trouvaient des gens d'origines asiatique, indienne, jamaïcaine, turque et québécoise bien sûr. Au fil des ans, nous avons développé le marché européen. Nous parlions en particulier avec nos représentants de l'Angleterre, de la Hollande et de l'Allemagne. J'ai dû apprendre à faire affaire avec les gens de ces pays, à connaître leur culture d'entreprise et, surtout, à comprendre et à accepter leurs différences. Une autre expérience positive, un autre apprentissage tout aussi positif. Un joyeux mélange, me direz-vous, mais combien instructif !

C'est en 1982, après avoir contribué à l'essor de l'entreprise fondée par mon conjoint, que j'ai décidé de démarrer ma propre entreprise. Ce fut un changement de cap radical. À Boston, j'ai participé à une formation donnée par une entreprise américaine, chef de file mondial dans le domaine de l'image professionnelle. Plusieurs petits séjours de formation ainsi que ma participation à des événements prestigieux de calibre international m'ont permis de parfaire mes connaissances dans ce domaine. Quelques mois plus tard, je suis devenue consultante en image professionnelle tout en poursuivant mon programme de formation aux États-Unis. Ce furent de belles et bonnes années.

En 1989, après 15 années de vie commune heureuses, mon mari a appris qu'il était atteint d'un cancer. Il s'est éteint en septembre 1990. J'ai senti à ce moment le besoin de me tourner vers autre chose et, en 1991, après une année très difficile, j'ai décidé de parfaire mes connaissances. Je me suis rendue à Washington, D. C., afin d'assister à une formation pour devenir consultante en étiquette et protocole. Tout le bagage acquis depuis 1982 ainsi que la connaissance du milieu des affaires me permettent, aujourd'hui, de faire ma marque comme formatrice en étiquette des affaires et protocole international auprès des gens d'affaires.

Au fil des années, j'ai adapté mes formations à la culture québécoise qui, avouons-le, est très différente de celle des autres pays qui forment l'Amérique. Seulement sur ce continent, il y a sept cultures différentes : deux cultures distinctes au Canada, les États-Unis, le Mexique, les pays d'Amérique du Sud d'origine espagnole ou portugaise ainsi que les Première Nations. Il y a de quoi s'y intéresser et se poser des questions, non ?

En 1991, j'ai écrit mon premier livre, *C'est moi... ma personnalité, mon style!*, en collaboration avec une amie de longue date, Colette Hamel. Il a connu un franc succès et les gens en parlent encore. Aujourd'hui, il est toujours utilisé par les maisons d'enseignement. Il s'agit d'un livre abondamment illustré de photos couleurs, de croquis, de conseils sur le maquillage et la tenue vestimentaire pour la femme. Il n'est malheureusement plus vendu en librairie, mais il est toujours permis de le consulter en bibliothèque. Espérons qu'un jour il sera réédité.

En 2003, *L'étiquette en affaires (l'art de gérer ses affaires avec classe)*, publié aux Éditions Quebecor, a également connu un franc succès parmi les gens d'affaires.

De 1982 à 1991, j'ai aidé des centaines de personnes à avoir confiance en elles, à obtenir l'emploi de leurs rêves ou encore à gravir les échelons hiérarchiques de leur entreprise.

Depuis 1991, je transmets mes connaissances par des formations publiques et en entreprise – qui sont plutôt axées sur l'étiquette et le protocole –, des conférences ou des séminaires. C'est toujours avec plaisir que je conseille les gens sur leur image lorsqu'on me le demande ; c'est une passion qui m'habite toujours.

À toutes les personnes qui, sans le savoir, m'ont aidée à devenir celle que je suis, merci !

Première partie

L'image

L'importance de l'image

*Si vous ne connaissez pas les bonnes manières,
priez pour avoir de bons réflexes.*

Billy Crystal, acteur américain

Ici, je traite de l'importance de l'image dans ce monde compétitif dans lequel nous vivons. Je vous invite à suivre l'itinéraire proposé ; il est des plus enrichissants. Vous y découvrirez la véritable élégance qui se veut un mélange d'harmonie, de logique, d'équilibre et de bon goût.

Vous avez lu ou entendu des experts dire que la première impression est déterminante, qu'elle marque l'esprit des individus. Certaines personnes sont d'accord avec cet énoncé, alors que d'autres n'y croient tout simplement pas. Je n'ai pas l'intention de faire dans ce livre le procès du «pour» ou du «contre». Moi, j'y crois. Beaucoup de personnes qui réussissent dans la vie y croient également. La vie se charge de le prouver au fil des ans et les adeptes de l'image réalisent que celle-ci n'est pas une fin en soi, mais un outil supplémentaire mis à la disposition des individus.

La première impression

Dès la première rencontre, les gens se font une opinion de vous. Ils peuvent aller jusqu'à évaluer votre statut social, votre compte en banque, votre degré d'influence, d'où l'importance de porter une attention particulière à votre image. L'image que vous envoyez aux autres par la façon de vous vêtir est tout aussi importante que votre savoir-vivre, vos manières, vos connaissances, vos compétences et votre comportement.

Il n'est pas facile pour une personne en quête d'un premier emploi ou d'une promotion de savoir d'instinct comment se vêtir. Il importe de s'habiller non seulement en fonction de sa personnalité bien sûr, mais aussi en fonction du type d'entreprise pour laquelle on travaille. Les employés d'une firme d'ingénieurs, de communications, les institutions financières, juridiques ou politiques ne seront pas tous vêtus de la même façon.

Les employés de bureau, toutes hiérarchies confondues, doivent donner aux gens une impression de confiance en soi, de stabilité et de compétence. Il est donc important que l'on fasse une petite analyse du style de vêtements et d'accessoires qui nous convient le mieux. Il faut également porter une attention particulière à l'hygiène corporelle et à l'utilisation des parfums. Un parfum discret apporte une touche de raffinement alors qu'un parfum trop puissant éloigne les gens.

Le cadre, le gestionnaire ou le chef d'entreprise choisit ses vêtements en fonction de ses activités. Sa façon de se vêtir doit être le fruit d'une recherche esthétique personnelle. Il devrait se démarquer par son élégance et connaître le message qu'il désire transmettre.

La secrétaire est appelée à rencontrer beaucoup de monde. Ses responsabilités sont multiples. Elle peut accompagner son patron lors de voyages, de dîners, de congrès, de 5 à 7 ou dans toute autre occasion. Ses vêtements doivent donc être de qualité et son apparence des plus soignées. Elle misera sur les coordonnés. Il est possible de faire des miracles avec très peu de vêtements, pour autant qu'ils puissent s'agencer entre eux. La secrétaire devra miser sur la qualité plutôt que sur la quantité. Si votre garde-robe déborde et que vous ne savez jamais quoi porter, vous devez vous y mettre et faire une sérieuse étude de votre situation. L'adjointe qui mise sur le port du veston mettra toutes les chances de son côté lorsque viendra le temps d'une promotion ou d'une négociation de salaire. Je sais que certaines personnes n'y croient pas; elles disent que cette façon d'évaluer un individu ne devrait pas exister. Je suis d'accord avec elles mais, soyons réalistes, cela existe.

La préposée à l'accueil ou la réceptionniste doivent offrir, elles aussi, l'image de l'entreprise. Celle-ci peut jouer un rôle important dans la façon dont elles devront se présenter aux visiteurs.

Alors que plusieurs professionnels de l'image soutiennent que «les trente premières secondes d'une rencontre sont déterminantes», d'autres, moins éclairés, à l'allure même douteuse, affirmeront que «l'habit ne fait pas le moine». À compétence égale, une personne qui utilise les gestes adéquats, un vocabulaire recherché et qui porte les vêtements appropriés obtiendra plus de succès. Rappelez-vous que les gens aiment faire affaire avec des gagnants. Réservez votre ensemble de jogging, vos jeans, t-shirts avec des appliqués de Mickey Mouse, bretelles fines, décolletés plongeants, chandails bedaines, brillants ou tissus transparents à d'autres occasions. Vous évoluez sur une scène professionnelle et non sur une scène artistique. Optez plutôt pour une tenue sobre qui transmettra le message suivant: «Je suis compétent et mon travail est aussi parfait que l'image que je projette.» Le vêtement est un outil de communication puissant au même titre que la parole, la gestuelle et le comportement.

N'oubliez pas qu'il faut:

- 5 secondes pour créer une impression, bonne ou mauvaise;
- 21 jours pour adopter une nouvelle habitude; et
- 100 jours pour que cela devienne un automatisme.

Si vous laissez une bonne impression, vos paroles et vos gestes seront interprétés positivement alors que si vous laissez une mauvaise impression, vous aurez beaucoup de travail à accomplir pour gagner la confiance des gens.

Le code vestimentaire au bureau

*L'habit d'un homme proclame ce qu'il fait,
sa démarche révèle ce qu'il est.*

La Bible (extrait de L'Ecclésiastique)

Il y a trois étapes importantes dans une carrière.

1. Obtenir un emploi. En sortant de l'école ou de l'université, faites une transition vestimentaire. Misez sur votre garde-robe et modifiez votre allure.

2. Réussir dans son travail. Vos vêtements devraient jouer en votre faveur.

3. Obtenir un meilleur emploi ou une promotion. Faites la transition, vous n'êtes plus un adjoint ou une adjointe, mais cadre ; il faut repenser votre garde-robe.

   Soyez constant dans la façon de vous vêtir. Bâtissez-vous une belle image, peu importent l'âge, le poids, la grandeur et l'emploi que vous occupez.

   En règle générale, les entreprises possèdent un code vestimentaire. Il peut faire partie du code d'éthique écrit de l'entreprise ou peut-être n'est-il pas écrit du tout. Lorsque vous commencez à travailler pour un employeur, il est suggéré de lui demander s'il existe un code vestimentaire écrit ou non.

Voici des conseils pour hommes et femmes. Ils s'appliquent à tous les niveaux hiérarchiques dans l'entreprise ; seul le budget varie.

Obtenir un emploi

Comment se préparer à une entrevue d'embauche ?

Lorsque les firmes de marketing lancent un nouveau produit, une grande partie des sommes investies le sont sur l'emballage (la forme, la présentation, la couleur, l'emballage, le contenant). Il ne reste qu'une petite partie pour les coûts de fabrication. Il devrait en être ainsi lorsque vous vous présentez à une entrevue car la première chose qu'on verra est l'emballage, c'est-à-dire vos vêtements, votre coiffure, votre maquillage et vos accessoires. L'intervieweur ne vous connaît pas, mais il se fera une opinion de vous dès le premier regard. Le premier conseil est donc de vous vêtir de façon conservatrice et sobre pour une entrevue d'embauche.

Quoi porter pour une entrevue ?

Vous sortez de l'école, vous n'avez pas beaucoup d'argent à consacrer à de nouveaux vêtements, mais vous réalisez que vous devez le faire. Voici le type de vêtements sur lequel il faut miser.

Pour les hommes

- Optez pour un costume de couleur bleu marine. Pourquoi ? Parce que le bleu marine est une valeur sûre et qu'il s'agence bien avec beaucoup d'autres couleurs. Il est moins sévère que le noir, moins terne que le gris et plus sérieux que le beige ou le taupe. Le bleu représente la confiance, la sagesse et la loyauté et, généralement, ce sont des qualités recherchées chez un futur employé.

En portant du bleu, vous communiquez une image de paix, de calme et de sérénité. Il vous aide à combattre le stress et la fatigue morale. C'est également une couleur qui inspire la créativité et stimule les facultés intellectuelles.

- Agrémentez le costume d'une chemise bleu pâle et d'une cravate unie bleu marine. Assurez-vous que le col est bien repassé. Optez pour une chemise à manches longues en toutes saisons. Vous me direz que cela fait beaucoup de bleu. La raison est simple : vous ne désirez pas lors d'une entrevue d'emploi surpasser la tenue vestimentaire des gens qui vous reçoivent. De cette façon, vous n'êtes pas personnellement en vedette, mais votre message est puissant.

- Portez une ceinture et insérez-la dans les passants du pantalon. La boucle de la ceinture sera dorée ou argent et le design, simple. Ce n'est pas le moment de porter votre belle ceinture western.

- Portez des mi-bas de couleur bleu marine ou noire avec des chaussures lacées en cuir noir mat. S'il vous plaît, fuyez les bas blancs.

- Lorsque vous êtes debout, boutonnez les boutons de votre veston et laissez celui du bas déboutonné. Lorsque vous vous assoyez, déboutonnez les boutons du veston. Lorsque vous vous levez, boutonnez-les à nouveau, à l'exception de celui du bas.

- N'enlevez pas votre veston durant l'entrevue. Nous ne voulons pas voir les cercles disgracieux qui auraient pu être causés par votre nervosité. Il serait impoli de l'enlever de toute façon, à moins que la personne qui vous reçoit ne vous y invite.

- Vos bijoux doivent être réduits au minimum :
  - une montre plate (évitez les montres sport ou trop épaisses) ;
  - votre alliance.

- Vous ne devez pas avoir de tatouages apparents ni de perçage personnel.

- De grâce, ne portez pas de casquette.

- Ayez un attaché-case en cuir.

- Durant les saisons froides, portez un imperméable ou manteau d'hiver marine ou noir avec un foulard et des gants d'aussi bonne qualité que votre complet. N'oubliez pas le parapluie, au cas où.

Pour les femmes

- Portez un ensemble composé d'une veste et d'une jupe ou d'une veste et d'un pantalon. Misez également sur le bleu marine qui est une couleur sûre et qui convient à toutes les silhouettes, carnations et couleurs de cheveux.

- Ayez deux ou trois chemisiers au cas où vous auriez deux ou trois rencontres. Optez pour des teintes douces.
  - Un chemisier blanc donne une allure conservatrice et professionnelle.
  - Un chemisier rose donne une allure de fraîcheur et de calme.
  - Vous pouvez aussi choisir un col roulé marine, bourgogne ou ivoire.

Le choix des accessoires

- Lorsque vous choisissez des bas au magasin, il importe de faire le test en glissant votre main à l'intérieur des différents échantillons afin de trouver la couleur qui s'agence le mieux avec votre peau.

  Si vous optez pour des bas de couleur noir opaque, cela fera sérieux; ceux-ci se portent avec des chaussures noires, bourgogne ou brun foncé.

Si vous choisissez des bas de couleur noir transparent, cela fera plus habillé ; ceux-ci ne se portent qu'avec des chaussures noires.

Le meilleur choix demeure la couleur chair. Elle se porte avec des chaussures noires, bourgogne, brun foncé, cuivre, ivoire ou bleu marine.

- Optez pour des chaussures de couleur neutre. Si vous portez une veste et une jupe, choisissez des chaussures fermées avec des bas de couleur chair. Si vous portez une veste et un pantalon, vous pouvez vous permettre une sandale sans bas (en été).

- Choisissez un sac à main de bonne qualité, également de couleur neutre.

- Agrémentez le tout d'un attaché-case en cuir véritable. Évitez le métal, le plastique et le synthétique.

- Les bijoux doivent être simples : une montre, une bague, des boucles d'oreilles de grandeur moyenne ou petite, tout comme le collier. Évitez le clinquant.

- Un manteau de qualité agrémenté d'un foulard, d'un chapeau et de gants (en saison froide).

- Un parapluie, au cas où.

Voici les accessoires indispensables pour les hommes et pour les femmes :

- un miroir pleine longueur ;
- un bon éclairage ;
- des cintres qui maintiendront la forme de vos vêtements ;
- une brosse à chaussures ;
- une brosse pour enlever les mousses ;
- un rasoir pour enlever les mousses des pulls ;
- un fer à repasser ou, mieux encore, une machine à vapeur ;
- un détacheur que vous pouvez apporter dans votre sac à main ou attaché-case.

Connaissez-vous votre silhouette?

Connais-toi toi-même et tu connaîtras l'Univers et les dieux.

Socrate

Quelle est la forme de votre visage?

Il existe deux catégories de visages: les allongés et les courts.

Les visages allongés regroupent les formes suivantes: rectangulaire, en forme de cœur, triangulaire.

Le but consiste à raccourcir la hauteur.

Les visages courts regroupent les formes suivantes: rond, carré, en forme de diamant.

Le but consiste à allonger la hauteur.

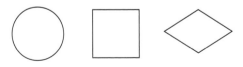

Le visage de forme ovale est considéré comme parfait. Il a été utilisé par Léonard de Vinci dans ses célèbres toiles. Cette forme se divise en trois zones d'égales proportions : supérieure, médiane et inférieure. C'est ce type de visage qui peut se permettre de porter à peu près toutes les formes de lunettes, de chapeaux et d'accessoires.

Les formes allongées devront raccourcir visuellement le visage pour tendre vers la forme parfaite, alors que les formes courtes devront l'allonger visuellement pour la même raison.

Pour visualiser la forme de votre visage, tirez vos cheveux vers l'arrière, regardez-vous droit dans le miroir et analysez votre visage zone par zone. Vous verrez ensuite laquelle est plus courte ou plus longue que les autres.

Connaître la forme de son visage est important pour choisir le maquillage, les bijoux, les lunettes, la barbe ou la moustache.

Il importe aussi de regarder votre visage de profil. C'est possible de le faire avec un jeu de miroirs ou encore de demander à quelqu'un de confiance si votre front est bombé, si votre nez est trop long et si on avez un double menton.

Quelle est la forme de votre corps ?

Peu de gens prennent le temps d'analyser vraiment la forme de leur corps. C'est pourtant important parce que c'est ce qui vous permettra d'acheter les coupes et les couleurs de vêtements qui vous conviennent.

Si vous êtes petit, misez sur l'uniformité des couleurs afin de paraître plus grand. Portez des rayures ou des couleurs unies. Optez pour des tissus minces et délicats.

Si vous êtes trop grand, misez sur le contraste des couleurs et évitez les rayures.

Optez pour des tissus plus lourds. Observez votre silhouette : paraît-elle plus courte ou plus longue et pourquoi ?

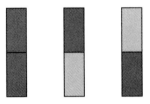

Si vos épaules sont plus larges que vos hanches, bravo ! Vous aurez plus de possibilités dans le choix de vos vêtements.

Si vos hanches sont plus larges que vos épaules, attention ! Vous devrez amoindrir la largeur de vos hanches en élargissant visuellement la largeur de vos épaules.

Si vos hanches sont de la même largeur que vos épaules, soulignez votre taille en portant de jolies ceintures.

Si vos hanches sont de même largeur que vos épaules et que votre taille est plutôt épaisse, attention ! N'attirez pas l'attention sur cette dernière.

L'illusion par les lignes

Les lignes horizontales élargissent.

Les lignes verticales allongent.

Les lignes en « V » allongent.

Les lignes en « V » inversé raccourcissent.

Les lignes diagonales allongent si elles sont longues et raccourcissent si elles sont courtes.

Un budget pour le futur emploi

L'habit fait l'homme.

Didier Érasme

Votre investissement

Lorsque je demande aux gens s'ils connaissent le montant d'argent qu'ils investissent pour leurs vêtements chaque année, très rares sont ceux qui peuvent me répondre. Pourtant, lorsque je leur demande combien d'argent ils dépensent chaque semaine pour la nourriture, ils répondent sans hésitation. Lorsque vous vous présentez pour un emploi, est-ce que votre panier d'épicerie vous accompagne? Vous souriez sans doute en me répondant «Non». D'où l'importance de planifier un budget pour votre tenue vestimentaire d'une façon aussi rigoureuse que lorsque vous planifiez votre budget de logement ou de nourriture.

Comment planifier votre budget vestimentaire en fonction de vos activités?

Répondez à ces questions.

1. Quel genre d'emploi occupez-vous présentement?

   _____

2. Combien de sorties mondaines ou sociales avez-vous?

   _____

3. Quelle somme consacrez-vous annuellement à votre garde-robe?

   _____ $

4. Combien devriez-vous investir pour améliorer votre garde-robe actuelle?

   _____ $

   Voyons maintenant le pourcentage de vos activités.

   Le nombre total d'heures dans une semaine est de 168.

   Lorsque vous planifiez votre garde-robe, pensez que, durant la semaine, vous dormez environ 56 heures.

   Si vous avez des loisirs, des sorties mondaines et si vous pratiquez des sports, il faudra en tenir compte en évaluant le nombre d'heures que vous consacrez à chacune de ces activités.

   Vous travaillez environ 40 heures par semaine. Si vous perdez une heure ou deux par jour dans le transport, il faudra les ajouter. Cela représentera environ 27 % du temps.

   Les vêtements de travail ne représentent pas le plus haut pourcentage de vos occupations, mais ils devraient constituer la partie la plus importante de votre budget en termes d'argent.

Ce sera à vous de juger, lorsque vous aurez lu ce qui se rapporte aux composantes d'une garde-robe fonctionnelle.

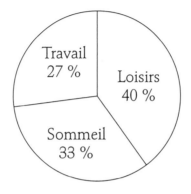

Le ménage
de la garde-robe

*L'apparence est le vêtement
de la personnalité.*

Galienni

Avant de dépenser, nettoyez!

Cette façon de faire s'adresse tant aux hommes qu'aux femmes. Deux fois par année, prenez l'habitude de faire l'inventaire de votre garde-robe. Le meilleur temps de l'année : l'automne et le printemps. Avant de prévoir vos achats, il faut évaluer ce que vous avez déjà.

Sortez tous les vêtements de votre garde-robe, puis faites trois piles.

La première pile sera réservée aux vêtements que vous n'avez pas portés la saison dernière. Il est prouvé que vous ne les porterez pas davantage cette année. Alors, préparez un sac à ordures ou une boîte et placez-y les vêtements qui ne sont pas défraîchis et dont vous voulez vous départir. Préparez un autre sac et placez-y les vêtements trop usés pour que vous puissiez les donner. Jetez-les! Assurez-vous que les vêtements que vous donnez sont propres.

La deuxième pile est réservée aux vêtements qui nécessitent une réparation : une couture qui a cédé, un bord qui pend, une fermeture éclair brisée ou un bouton à coudre. Faites les réparations ou faites-les faire. Une fois les retouches effectuées, replacez-les dans votre penderie.

La troisième pile est réservée aux vêtements que vous désirez encore porter la saison prochaine. Étalez-les sur le lit et à partir de ce que vous avez sous les yeux, établissez une priorité d'achat. Commencez par les ensembles ou les complets. Posez-vous les questions suivantes : Est-ce que pour les rajeunir, je devrais investir dans l'achat d'un pantalon ou d'une jupe supplémentaire ? Est-ce que le veston ou la veste sont encore en bonne condition ? Si vous trouvez que vos pulls ne sont plus très neufs ou que vos chemises sont défraîchies, cela deviendra également une priorité d'achat. Remplacez d'abord les vêtements qui sont plus ou moins portables.

Préparez votre liste. Cela deviendra une nouvelle façon de magasiner intelligemment et de manière réfléchie. Magasiner deux fois par année suffira. Finis les achats impulsifs et les dépenses inutiles !

La garde-robe suggérée pour les hommes

Vos vêtements s'expriment, les gens interprètent. Habillez-vous en fonction de l'emploi que vous désirez obtenir et non en fonction de celui que vous avez déjà. Magasinez de façon éclairée et dépensez moins.

Les messages

Quel message envoie :

- votre chemise ? Ennui ou enthousiasme ?
- votre cravate ? Autorité ou désordre ?
- votre ceinture ? Exagération ou organisation ?

Le style et la coupe

Connaissez les styles et les coupes de vêtements offerts sur le marché.

Parmi les classiques, nous trouvons les coupes suivantes :

- *Coupe américaine :* C'est la coupe classique droite, avec une ouverture au centre à l'arrière ou non. La largeur des épaules est naturelle. Les pantalons sont droits.

- *Coupe italienne :* La veste est plus découpée, les épaules sont plus larges et arrondies. Il n'y a pas de fente à l'arrière et les pantalons sont un peu plus larges.

- *Coupe britannique :* La coupe est carrée, les épaules sont plus soulignées et la veste est plus cintrée. Les fentes sont généralement sur les côtés. Les pantalons sont plus étroits que dans les deux coupes précédentes.

Les vestes de ces trois styles viennent avec deux ou trois boutons. Lorsque vous portez une veste à trois boutons, boutonnez les deux boutons du haut lorsque vous êtes debout. Si vous portez une veste à deux boutons, boutonnez celui du haut lorsque vous êtes debout. Une veste à double boutonnage sera entièrement boutonnée.

La longueur de la veste est importante. Pour connaître la longueur qui convient le mieux à votre silhouette, mettez votre veste. Placez-vous devant un miroir. Laissez votre bras pendre le long de votre corps. Refermez la main. Si votre veste touche le creux de la main, la longueur est bonne. Sinon, il est possible que le vêtement soit trop long, ce qui a pour effet de raccourcir les jambes ; ou trop court, ce qui a pour effet de raccourcir le torse. Lorsque vous essayez une veste, les trois boutons doivent former une ligne bien droite lorsqu'ils sont tous attachés.

Les tissus

La laine demeure le meilleur choix parce qu'elle garde sa forme ; son fini est mat, elle respire et dure plus longtemps. Plus le tissu est mat et le brin du tissu serré, plus votre image est raffinée. Les fibres naturelles sont souhaitables : alpaga, gabardine, crêpe de laine, flanelle. Les mélanges de laine et de fibres synthétiques sont populaires parce qu'ils sont moins froissables. Plus le pourcentage de la laine est élevé dans la composition d'un tissu, plus riche est l'allure. Vérifiez l'étiquette à l'intérieur du vêtement. Vous y trouverez le pourcentage de laine utilisé et celui d'un autre tissu.

Le coton et les microfibres sont aussi acceptés. Le cuir, le denim et le suède n'ont pas leur place en affaires ; ces tissus seront gardés pour les tenues sportives et décontractées.

Les couleurs et les motifs

Chaque profession a ses exigences. Lorsqu'on travaille dans le milieu juridique ou financier, les couleurs foncées ont la cote: bleu marine, gris, brun. Les couleurs plus pâles, comme le beige, sont également portées, mais elles sont moins populaires. Les préférés: les couleurs unies et les fines rayures verticales subtiles. Les carreaux et les larges rayures sont à bannir.

Un complet composé d'une veste et d'un pantalon de même couleur et de même tissu est beaucoup plus efficace sur le plan de l'image qu'une veste de couleur foncée avec un pantalon plus pâle, et vice versa.

Les pantalons

Ce qui avantage le plus la silhouette est un pantalon aux plis plats à la taille plutôt qu'aux plis ouverts. Ceux-ci donnent du volume inutilement.

Le pantalon doit casser droit sur le dessus de la chaussure. C'est pourquoi il importe, lorsque vous essayez un pantalon en magasin, de porter vos chaussures de travail. Sinon, vous risquez que le pantalon soit trop court ou trop long. Il en va de même lorsque vous remettez vos pantalons à une couturière pour effectuer les retouches. Elle prendra les mesures en vous faisant porter vos chaussures.

Il arrive quelquefois que les pantalons aient un revers. Sachez que cela n'est pas souhaitable, car cela raccourcit la silhouette. Seules les grandes personnes peuvent se les permettre.

La chemise

Optez pour le coton 100 % ou un mélange de coton et de microfibres, ce qui facilite beaucoup l'entretien. Le coton pur doit être repassé.

Le col de la chemise dépassera légèrement le col de votre veste, vu de l'arrière.

Portez une chemise à manches longues en toutes saisons. Cela se voit lorsque vous portez une chemise à manches courtes et c'est beaucoup moins élégant. Le poignet de la chemise doit dépasser la veste de 0,6 cm (3/4 po) environ ou un peu moins. Si ce n'est pas le cas, vous n'avez pas choisi la bonne longueur de manches. Les boutons de manchettes sont gardés pour les soirées. Il existe des modes en ce qui concerne le port de l'épingle à cravate ou les boutons de manchettes.

Évitez les couleurs de chemises trop criardes ou les textures trop lourdes ainsi que les cols mao ou autres de fantaisie.

Lorsque vous avez décroché l'emploi, la valeur la plus sûre pour une chemise est le blanc. Les teintes de bleu pâle, de gris pâle, de beige ou de kaki sont également portées. Si vous avez la personnalité pour porter d'autres couleurs, jugez-en par vous-même.

Assurez-vous que vos chemises tout comme vos complets sont bien pressées et que les pointes du col tombent bien.

Les accessoires

Les bretelles ou la ceinture

Si vous désirez porter des bretelles, portez quand même une ceinture. Celle-ci est absolument nécessaire. Elle sera en cuir véritable et d'une largeur classique, soit 4 cm (1 1/2 po) environ.

Les chaussures

Optez pour des chaussures lacées, à bout renforcé ou non, ou non lacées, fermées. Gardez les chaussures de type « flâneurs » pour les tenues sportives.

Leur couleur s'agence avec celle de vos pantalons. Les chaussures noires accompagnent le complet gris ou bleu marine alors que les chaussures brunes accompagnent le beige et le kaki. Le noir demeure la couleur la plus chic et la plus pratique. Les chaussures en cuir verni rappellent plutôt les danseurs à claquettes. Optez plutôt pour un cuir mat et voyez à ce qu'il soit propre, non écorché. Cirez vos chaussures régulièrement et passez une petite éponge chaque jour. (Gardez une petite éponge miracle dans le tiroir de votre bureau.)

Les chaussettes

Choisissez vos chaussettes de couleur foncée pour vos tenues d'affaires, de même couleur que le pantalon si ce dernier est foncé évidemment. Elles seront assez longues pour que nous ne voyions pas vos jambes lorsque vous êtes assis (à mi-mollets). Assurez-vous qu'elles ne soient pas trouées et que l'élastique soit en bonne condition.

Optez pour des fibres naturelles : coton, laine, soie.

Ne portez pas de chaussettes blanches, c'est de fort mauvais goût. J'ai cru bon le répéter.

La cravate

Optez pour la soie. Évitez les tissus trop épais et les nœuds trop gros.

La cravate doit tomber naturellement et effleurer le dessus de votre ceinture ou un peu plus bas.

La couleur de la cravate sera plus foncée que votre chemise, jamais plus pâle. Le contraire vous donnerait l'allure du Parrain ! Les couleurs peuvent être plus extraverties, mais attention à vos choix ! Les gros motifs et les contrastes sont assez difficiles à porter ; il faut avoir une personnalité assez forte pour oser.

La largeur de la cravate est importante ; elle doit être proportionnelle à la largeur des revers de votre veste. D'ailleurs, une veste qui était à la mode l'an passé ne se porte peut-être pas avec une cravate récemment achetée, et vice versa.

L'attaché-case

Évitez les plastiques, les métaux, les tissus. Optez pour le cuir mat, sans courroie. Celle-ci est réservée aux mallettes contenant les ordinateurs.

Les bijoux

Portez une montre plate, de bonne qualité, ainsi que votre alliance ; évitez les bracelets et les chaînes au cou. Agencez les métaux que vous portez (montre, alliance, boucle de ceinture). Choisissez la couleur or ou argent ou un heureux mélange des deux. Ne portez pas de boucles d'oreilles ni de collier au bureau.

Les lunettes

Les lunettes sont choisies en fonction de la personnalité et de la forme du visage. Un opticien vous conseillera en ce sens. La couleur de la monture peut donner un air de sévérité ou d'ouverture. À vous de choisir ! Comme la communication passe par le contact visuel, ne portez pas de verre teinté à l'intérieur du bureau.

Autres accessoires

Le choix du parapluie, du portefeuille, de l'agenda, du porte-cartes, des stylos n'est pas négligeable. Optez pour des couleurs plutôt classiques.

Pour compléter l'image

La coupe de cheveux, les ongles, la barbe, la moustache, les poils, l'hygiène corporelle, l'haleine, le parfum sont des points importants à ne pas négliger.

Conseils généraux pour les hommes

Choisissez vos complets de couleurs sobres. Ils se démodent moins rapidement.

Faites valoir votre personnalité dans le choix de vos chemises, cravates, chaussettes et accessoires.

Misez sur la qualité de vos chemises. Comme vous ne gardez pas votre veste toute la journée, le choix d'une chemise de qualité s'impose.

Investissez dans une bonne paire de chaussures. Choisissez-les de couleur neutre, de cuir véritable, lacées, au fini mat plutôt que lustré.

Tentez de porter le moins possible de bijoux.

Utilisez un déodorant ou un antisudorifique non parfumé, même si vous pensez ne pas en avoir besoin. On ne sait jamais. Respectez vos collègues.

Ne portez pas d'eau de toilette ou de parfum. Respectez l'environnement de vos collègues. Si vous désirez en porter à tout prix, restez discret dans votre choix et lavez vos mains après son application. Il est très désagréable de serrer une main qui sent une forte lotion ou un parfum. Même si le vôtre ne vous dérange pas ou si vous ne le sentez pas, n'exagérez pas et n'en remettez pas durant la journée. Il est normal de ne pas sentir un parfum qui vous convient. Est-ce la même chose pour vos collègues ?

La garde-robe pour la première année d'emploi

Vous avez déjà le complet bleu marine de base.

Ajoutez-en deux autres : un gris foncé, l'autre taupe ou kaki.

Jour 1

Portez votre complet bleu marine qui envoie un puissant message de confiance en vous.

Jour 2

Portez votre nouveau complet gris foncé. Il s'agit d'une couleur neutre qui rehausse les accessoires et donne une allure très professionnelle. Choisissez un tissu quatre saisons qui se portera toute l'année.

Jour 3

Portez votre complet taupe ou kaki. C'est un bon choix pour les températures plus chaudes. Ces couleurs sont toujours portées au printemps et à l'été.

Jour 4

Si vous êtes grand, vous pourrez porter votre pantalon taupe avec votre veston bleu marine. Si vous êtes petit, attention de ne pas couper les couleurs. Optez pour le ton sur ton.

Jour 5

Vous pouvez ajouter un veston un peu plus sport à motifs, de tweed, à carreaux ou à chevrons. Vous pourrez le porter avec un pantalon brun ou noir.

Sommaire de la première année

- 3 complets
- 1 ou 2 vestons sport (selon votre travail)
- de 6 à 7 chemises
- 2 ou 3 pantalons unis
- 2 paires de chaussures (noires et bourgogne)
- 6 cravates
- 1 attaché-case

La garde-robe pour les années ultérieures

- 5 complets
- 3 vestons sport ou un complet supplémentaire
- 5 pantalons unis
- 10 cravates
- 3 pulls
- 10 chemises
- 3 vestes sans manches

... et ainsi de suite au fur et à mesure que votre carrière se dessine.

Si vous pratiquez des sports, n'oubliez pas que le choix de vos vêtements est aussi important. N'usez pas vos pantalons de travail sur les parcours de golf. Achetez des vêtements uniquement pour ces occasions. Vous rencontrerez certainement des contacts professionnels sur le terrain. À vous de prouver que vous connaissez bien les principes d'une image impeccable, peu importe la situation.

La garde-robe suggérée pour les femmes

Quels messages vos vêtements envoient-ils à votre sujet? Parlent-ils plus fort que vous? Est-ce un message d'élégance, d'organisation, de sophistication?

Les ensembles

Voici de quoi ils se composent.

La veste

La coupe de la veste peut être droite ou légèrement cintrée à la taille.

Si les poches sont cousues (la plupart du temps, elles le sont), ne les décousez pas. Le vêtement tombera beaucoup mieux. La veste devra être assez longue pour couvrir les hanches. Si vous préférez la porter plus courte, votre silhouette devra être bien proportionnée; autrement, vous pourriez attirer l'attention sur des hanches trop fortes ou une taille trop épaisse. La longueur des manches doit arriver à la naissance du pouce (au poignet). Les revers de la veste sont de largeur moyenne à étroite. Évitez les larges revers qui se démodent rapidement et alourdissent la silhouette. La couture des épaules ne doit pas avoir de faux plis. Le simple boutonnage à un, deux ou trois boutons est recommandé comparativement au double boutonnage qu'il faut toujours porter boutonné et qui ajoute du volume sur l'abdomen. Évitez les boutons bijoux, car ils se démodent rapidement et ne se portent pas très bien le jour. Cependant, osez les porter le soir. En général, les boutons sont de même couleur ou légèrement plus foncés que le vêtement. C'est ce que dictent les règles de l'élégance.

La jupe

La longueur des jupes varie d'une femme à l'autre. Elle est basée sur la proportion de la silhouette. La longueur la plus classique et professionnelle est aux genoux, soit 2,5 cm (1 po) à 3,8 cm (1 1/2 po) sous les genoux ou au-dessus des genoux. Évitez de porter la mini ou la microjupe au bureau, peu importe le poste que vous occupez. La jupe se terminant à mi-mollet se porte également par les professionnels, les gestionnaires et tout le personnel de bureau. La jupe se terminant à la cheville est surtout portée par le personnel de soutien et les adjointes. Ce n'est pas un choix idéal pour une gestionnaire ou une professionnelle.

Le pantalon

Essayez le pantalon avant de l'acheter. Si vos pantalons ont des ganses pour passer une ceinture, n'oubliez pas cette dernière. Évitez les tailles basses qui laissent voir la peau. Optez pour les plis plats à la taille ou un pli pressé sur la longueur. Si vous avez une taille parfaite, un pantalon sans pli à la taille vous ira comme un gant. Évitez les modes trop étroites ou trop larges. Le pantalon cassera sur le dessus de vos chaussures. Lorsque vous vous rendez en boutique pour acheter un pantalon, portez les chaussures que vous porterez avec celui-ci. Vous pourrez ainsi faire effectuer les retouches sur place sans vous tromper.

Conseil: Que ce soit pour raccourcir ou pour allonger les manches de votre veste, la longueur de votre jupe ou du pantalon, faites faire les retouches. Un bon ajustement fait toute la différence.

Les couleurs

Le choix des couleurs varie d'un individu à l'autre et d'une profession à l'autre. Les bleu marine, bourgogne, noir, charbon, gris et taupe sont considérés comme des couleurs sûres. Les couleurs neutres sont préférables aux pures : en été, choisissez des couleurs plus douces, vert pâle de préférence au vert feuille ou lime, le pêche de préférence à l'oranger, le rose de préférence au magenta, le blanc cassé de préférence au blanc pur. Évitez le blanc pur tant pour la tenue vestimentaire que pour les souliers et le sac à main. Maintenant, le blanc cassé, le crème ou l'ivoire se portent à l'année.

Les couleurs du pouvoir

Certaines couleurs envoient des messages assez puissants ; encore faut-il avoir la personnalité pour les porter. Parmi les couleurs du « pouvoir », il y a les bleu marine, rouge, anthracite. Vous ferez une forte impression si vous portez ces couleurs. Attention au noir, il peut durcir les traits et vous faire paraître plus sévère. Habillez-vous en fonction de vos rendez-vous de la journée. Pourquoi pensez-vous que les juges et les avocats portent le noir ? Parce que c'est une couleur puissante. Elle est encore plus puissante lorsqu'elle contraste avec le blanc.

Voici la signification des couleurs lorsque vous choisissez vos pulls ou vos chemisiers.

Blanc : Symbole de pureté et de personnalité. Si vous voulez faire forte impression, portez un contraste de couleur foncée et de blanc.

Rose : Symbole de tendresse, de sympathie, de responsabilité. Si vous vous sentez nerveuse, portez un chemisier rose pâle, cette couleur apaise la tension nerveuse.

Pêche : Symbole de gentillesse, d'enthousiasme, de dévouement.

Jaune : Symbole de communication. Elle attire les gens vers vous.

Vert : Symbole de modestie, de bienveillance et de confiance en soi. Cette couleur apaise également le stress.

Bleu pâle : Symbole de calme et de détente. Cette couleur aide à la créativité.

Aigue-marine : Symbole de paix et de tranquillité. Cette couleur rassurante est située entre le vert et le bleu.

Lilas : Symbole de sensibilité, de réconfort et de calme. Cette couleur est propice à l'intuition.

Les couleurs universelles

Certaines couleurs, d'après leur composition, conviennent à tous. Ce sont : le blanc cassé, le pêche, l'aigue-marine et le bleu pervenche.

La coordination des couleurs

Lorsque vous magasinez, investissez d'abord dans l'achat de trois morceaux qui serviront de base à votre garde-robe : veste, jupe, pantalon. Choisissez cette base de couleur neutre. Optez pour des couleurs plus pâles ou plus vives pour vos chemisiers et accentuez le tout avec des bijoux qui reflètent votre personnalité.

Les motifs et les imprimés

L'agencement des motifs n'est pas évident, car ils envoient des messages. Par exemple :

- Les fleurs : romance ;
- Les rayures et les carreaux : sport ;
- Les pois : conservatisme ;
- Les motifs géométriques : audace ;
- Le cachemire : classicisme.

Si vous choisissez vos chemisiers et vos foulards à motifs de couleurs plus voyantes, portez-les avec une jupe ou un pantalon de couleur unie et neutre. Si vous optez pour un tailleur à carreaux ou à rayures, misez sur la veste et la jupe de préférence à la veste et au pantalon. Si vous portez le pantalon de même motif que la veste, cela donnera une image trop chargée.

Les tissus

Parmi les fibres naturelles, on trouve : le coton, la laine, la soie, le lin, la microfibre (synthétique de qualité). Vérifiez l'étiquette sur la façon d'entretenir le tissu.

Parmi les infroissables, il y a : la laine, le crêpe, la gabardine, la microfibre, le jersey de coton.

Lorsque vous achetez un vêtement, faites le test du « froissage ». Prenez le tissu dans votre main et serrez-le pendant près d'une minute. S'il ne froisse pas, vous avez de bonnes chances qu'il soit conforme, et c'est ce que toutes les femmes recherchent.

Les coupes

Choisissez une coupe en fonction de votre personnalité et de votre silhouette. Ainsi, une coupe droite avantage la femme ronde qui veut camoufler des formes ; la coupe ajustée ou cintrée à la taille avantage la femme bien proportionnée.

Conseils : La longueur de la jupe doit être d'environ 2,5 cm (1 po) au-dessus des genoux ou un peu plus bas.

Évitez les tissus moulants et les jupes longues ou à mi-mollets.

Une petite femme portera des couleurs monochromes et évitera les contrastes de couleurs afin d'allonger sa silhouette. Il faut éviter un chemisier blanc avec un pantalon ou une jupe noire ou bleu marine ; optez pour des couleurs se rapprochant du noir ou du bleu marine.

Évitez le cuir, le métal, les tissus transparents et la dentelle.

Les accessoires et autres détails

La fourrure

Optez plutôt pour une fausse fourrure de préférence à une fourrure véritable. Pensez écologique !

Le sac à main

Misez sur un sac à main et un attaché-case en cuir véritable.

Évitez les tissus, les plastiques, les synthétiques, les cloutés, les motifs.

La grosseur du sac à main doit être proportionnelle à la silhouette parce que tout ce qui est entouré d'un volume important a l'air plus petit qu'en réalité. Le contraire est aussi vrai. Tout ce qui est entouré d'un volume plus petit a l'air plus gros qu'en réalité. Illusion d'optique, me direz-vous ! Oui, apprenez à jouer avec les lignes. Évitez les sacs à main blancs même en été. Misez plutôt sur des couleurs neutres.

La ceinture

La ceinture ajoute une touche d'élégance. La largeur classique est de 1,27 à 1,9 cm (1/2 à 3/4 po). Les boucles peuvent être en métal, mais agencées aux bijoux. La couleur doit s'harmoniser avec celle des chaussures ou de l'ensemble. Ne portez pas une jupe ou un pantalon avec des passants sans y ajouter une ceinture ; sinon, cela donnera un effet négligé.

Les foulards

Ils seront en soie, en laine ou en cachemire. Ils peuvent très bien agrémenter un ensemble ou un manteau.

Les bijoux

Évitez les plastiques de mauvaise qualité, les clinquants ou les boucles d'oreilles trop grosses. Pensez à votre confort au téléphone.

Ne portez pas de boucles d'oreilles grosses ou pendantes si vous portez des lunettes, car cela donne un effet très chargé. En ce qui concerne les colliers, optez pour une forme de petite à moyenne, faits de vrai métal, de perles ou de pierres semi-précieuses. Pour les bagues, la règle est simple : une bague par main. Les broches peuvent remplacer le collier, mais elles doivent être petites, soit 5 cm (2 po) de longueur ou de diamètre. Le bracelet de la montre sera en cuir noir, brun ou métallique. Une montre et un bracelet, c'est bien, mais une rangée de bracelets, c'est trop.

Les lunettes

Optez pour les classiques : des formes et des couleurs en fonction de votre silhouette et de votre personnalité. Les lunettes métalliques ou en écailles sont de bons choix.

Avant de choisir la monture, pensez aux bijoux que vous portez. Harmonisez ! Dans le choix de la monture, harmonisez-la avec la couleur de vos yeux et de vos cheveux.

Si vous changez la couleur de vos cheveux, vous trouverez peut-être que vos lunettes vous vont moins bien qu'à l'habitude. Ne cherchez pas l'erreur, vous devrez peut-être changer de modèle !

Les chaussures

Optez pour des chaussures fermées avec talon de 2,5 à 3,7 cm (1 à 1 1/2 po), de couleurs neutres : noir, bleu marine, brun foncé, taupe. Les talons hauts ne conviennent pas au travail. La chaussure à talon plus plat se porte bien avec le pantalon.

Évitez les sandales, les courroies, les chaussures blanches, les formes élaborées, les tissus ou les plastiques, les motifs, le doré ou le métallique. Optez pour le cuir.

De préférence, ne portez pas la botte au travail.

Inutile de dire que les chaussures seront toujours impeccables et débarrassées de la poussière de la veille.

Les bas

Évitez les bas de couleurs voyantes et opaques ; optez plutôt pour les teintes naturelles.

Évitez les bas blancs ou blanc cassé, ou trop pâles.

Les cheveux et le maquillage

Évitez les barrettes, les mèches rouges ou vertes, les brillants.

Les yeux trop foncés, le fond de teint ou la poudre trop évidents ainsi que les fards à joues plaqués ne sont pas indiqués.

Les ongles

Évitez les vernis brillants, ainsi que le noir, le bleu, le pourpre ou les couleurs fluos.

Les ongles décorés de dessins ou de pierres sont contre-indiqués. Optez pour les vernis traditionnels harmonisés avec la teinte de votre rouge à lèvres ou encore de couleur naturelle.

Le parfum

Optez pour les crèmes de corps légèrement parfumées. Évitez les parfums trop forts, car beaucoup de gens y sont allergiques.

La garde-robe de maternité

- Un ensemble : veste, jupe, pantalon
- Une robe

- Deux pantalons supplémentaires
- Trois ou quatre hauts ou chemisiers
- Deux paires de chaussures confortables
- Bas support ou collants en vente dans les boutiques de maternité.

La garde-robe pour la première année d'emploi

Vous avez déjà un ensemble de base de couleur bleu marine composé de trois morceaux que vous aviez acheté pour l'entrevue, soit une veste, une jupe et un pantalon.

Ajoutez deux autres ensembles: noir, gris foncé, beige ou taupe.

Jour 1
Portez votre tailleur bleu marine qui envoie un puissant message de confiance en soi.

Jour 2
Portez votre tailleur noir ou gris foncé.

Jour 3
Portez votre tailleur beige ou taupe.

Jour 4
Portez votre veste bleu marine avec votre jupe beige ou taupe.

Jour 5
Ajoutez une camisole et une veste en tricot que vous porterez avec une de vos jupes ou un de vos pantalons.

Sommaire de la première année

- 3 ensembles de trois pièces
- 1 petite robe passe-partout
- 1 ou 2 vestes plus décontractées (selon votre travail)
- 6 à 7 chemisiers
- 3 à 4 pulls
- 2 jupes ou pantalons supplémentaires
- 3 paires de chaussures (noir, bourgogne, taupe)
- 1 attaché-case agencé à vos chaussures

La garde-robe pour les années ultérieures

- 5 ensembles (tailleurs ou tricots)
- 2 ou 3 vestes sport
- 4 ou 5 jupes ou pantalons
- 7 à 10 chemisiers
- 4 ou 5 pulls

... et ainsi de suite au fur et à mesure que votre carrière se dessine.

Test d'évaluation de votre tenue vestimentaire actuelle

Quelle sorte d'image vous renvoie votre miroir lorsque vous partez pour le travail ?

a) Confiance.
b) Passable.
c) À oublier.

Qu'est-ce qui influence votre allure ?

a) Une bonne connaissance de ce qui convient.
b) La mode.
c) L'opinion des autres.

Si vous recevez une invitation pour un cocktail ou un mariage...
a) Vous avez une tenue passe-partout.
b) Vous n'avez pas ce qu'il faut.
c) Vous ne savez pas quoi porter pour l'occasion.

Qu'est-ce qui influence vos achats ?
a) La connaissance de vos besoins.
b) Le coup de cœur pour un vêtement.
c) Le manque de temps.

À quelle fréquence vous félicite-t-on sur votre look ?
a) Souvent.
b) Quelquefois.
c) Rarement.

Votre entourage vous félicite-t-il sur le choix des couleurs ou le style de vos vêtements ?
a) Souvent.
b) Quelquefois.
c) Rarement.

Compilez les résultats.

Si vous avez plus de « a » que de « b » ou de « c », bravo ! Vous projetez une image de confiance.

Si vous avez plus de « b » que de « a » ou de « c », votre image est passable et vous devriez l'améliorer.

Si vous obtenez une majorité de « c », votre image laisse à désirer. Prenez le temps de vous étudier ou consultez des experts en image.

Le code vestimentaire

*Quand on change de vêtement,
on change de comportement.*

Frédéric Monneyron
(extrait du journal *Libération*, 1ᵉʳ septembre 2001)

Le code vestimentaire
pour le vendredi

Si vous travaillez dans un bureau où le code vestimentaire permet la tenue décontractée le vendredi, attention aux pièges ! Celle-ci est née dans les années 1980, à Silicon Valley en Californie. Silicon Valley est un incubateur technologique mondialement connu. C'est là que se trouvent des entreprises aujourd'hui très réputées ; d'ailleurs, la plupart d'entre elles sont parties de rien et sont nées bien souvent dans un garage ! Inutile de vous expliquer que ces fanatiques de l'informatique n'accordaient pas tellement d'importance à la tenue vestimentaire et qu'ils étaient loin du veston et de la cravate.

Ce n'est qu'au début des années 1990 que les grandes compagnies américaines ont adopté cette façon de faire. Ainsi, le vendredi est devenu une journée où le complet et la cravate ou le tailleur gris ou bleu marine ont été remplacés par des tenues plus décontractées dans des couleurs inhabituelles au monde des affaires.

Cette mode, conçue à l'origine pour stimuler le moral des employés à la fin de la semaine de travail, a vite connu un vif succès mais, pour certains, elle est aussi devenue un cauchemar. Un certain laisser-aller s'est assez vite installé et un code vestimentaire est devenu essentiel.

Avant de commettre l'irréparable et de vous déguiser en bouffon, demandez au service des ressources humaines de votre entreprise s'il existe un code vestimentaire ainsi qu'une permission spéciale sur la façon de se vêtir le vendredi.

Une tenue décontractée pour le travail inclut des vêtements de bonne qualité mais exclut les jeans, les pantalons de coton ou de velours côtelé, les shorts, le spandex, les vêtements d'exercice, les espadrilles, les casquettes, les couleurs criardes et fluorescentes ainsi que des tissus lustrés ou brillants. Le port de la cravate n'est pas nécessaire, mais les chemisiers et les pulls auront des cols, le sans-col donnant une allure plus sportive. Ne portez pas de vêtements défraîchis que vous porteriez chez vous pour tondre la pelouse.

Rappelez-vous que la première impression est primordiale. Lorsque vous vous regardez dans la glace le matin, demandez-vous si vous représentez bien votre entreprise ou si vous exagérez un peu l'image que vous projetez. Si vous croisez des visiteurs, quelle image projetez-vous ?

Mon meilleur avis aux hommes et aux femmes d'affaires est celui-ci : habillez-vous chaque jour comme si vous alliez solliciter un emploi. Chaque jour, vous devez prouver vos compétences, que ce soit à la direction de l'entreprise qui vous embauche, à vos collègues, à vos clients. Les gens vous observent, ils se font une opinion basée sur ce qu'ils voient. Optez pour le juste équilibre !

Conseils généraux

Mesdames,

1. Ne portez pas de sandales, de camisoles ou de chemisiers sans manches.

2. Si vous portez un tailleur, portez des bas et des chaussures fermées, peu importe la température. Je vous entends rouspéter d'ici !

3. Les jupes longues ne sont pas conseillées pour les affaires.

4. Une tenue décontractée est composée de couleurs neutres, de chemises ou de chemisiers sport, de pulls et de pantalons sport ou de jupes.

5. Optez pour un blazer dans des tons neutres pouvant se porter avec un pantalon habillé ou une jupe.

Messieurs,

1. La cravate n'est pas nécessaire ; toutefois, un vêtement sans col n'est pas approprié.

2. Optez pour la chemise à col ouvert ou un pull sur un pantalon habillé agrémenté d'un veston sport.

3. Évitez le denim et le cuir.

4. Ne portez pas de sandales (avec ou sans bas).

5. Osez des chemises dans des tissus aux petits imprimés.

Portez une attention toute spéciale au choix des accessoires. Les chaussures, les ceintures, les écharpes et les broches sont votre signature. Le tout doit s'agencer harmonieusement.

Si vous n'êtes pas assez sûr de vos goûts, demandez à des professionnels de l'image de vous aider.

Le code vestimentaire estival

Quand l'été arrive et que la température se réchauffe, on voudrait que la tenue décontractée du vendredi soit acceptée toute la saison. À plus de 30 degrés, en plein soleil, personne n'aime porter le complet cravate ou le bas de nylon et les chaussures fermées. Souvent, les tenues plus légères deviennent le cauchemar des supérieurs.

Voici ce qui ne se porte pas au bureau en tout temps, même en été :

- les matières transparentes, les dentelles, les filets ;
- les chandails avec des logos ou des slogans ;
- les tongs (les chaussures de plage) ;
- les sandales avec des bas ;
- les espadrilles ;
- les jupes, les pantalons, les shorts, les chemises et les vestes en denim ;
- les bermudas ;
- les camisoles ;
- les bretelles spaghettis ;
- les pantalons taille basse ;
- les chandails bedaine ;
- les décolletés osés ;
- les sans-manches.

Comment respecter le code vestimentaire en été ?

Mesdames,

- Portez la jupe avec un chandail à manches.

- Si vous n'enlevez pas votre veste, portez le tailleur en tissu estival avec la camisole ; autrement, portez un chemisier avec des manches.

- Choisissez un chemisier ouvert sur une camisole.

- Optez pour des couleurs plus vivantes, à moins de travailler dans un milieu très conservateur.

- Portez des bijoux mode.

Messieurs,

- Choisissez vos chemises dans des tissus plus légers.

- Il est bien tentant de porter la chemise à manches courtes en été, mais soyez conscient que les manches longues portées avec un complet, c'est tellement plus chic.

- Si vous portez la cravate, misez sur des couleurs plus extraverties.

- Ne faites pas tomber la veste et la cravate, même s'il fait chaud.

- Si la personne qui dirige une réunion porte le veston, n'enlevez pas le vôtre, à moins qu'elle n'enlève le sien.

Note : Lors des canicules, les entreprises peuvent assouplir les règles, mais elles doivent en informer les employés. Ce n'est pas à ces derniers d'improviser. En été, il est conseillé d'opter pour des fibres naturelles parce qu'elles respirent beaucoup mieux que les mélanges synthétiques.

En Chine et au Japon, à l'été 2005, les gouvernements ont demandé aux fonctionnaires de laisser tomber les vestons et les cravates lorsque la température se réchauffe. Les entreprises nippones ont adopté cette nouvelle mode appelée *cool business.* Cela permet de diminuer la température de l'air climatisé et d'ainsi économiser l'énergie. Toutefois, lorsqu'ils reçoivent des clients, les employés portent quand même le veston et la cravate.

Nous savons que la tenue décontractée du vendredi est fort appréciée par certaines personnes et détestée par d'autres. Pourquoi? Parce que cela a causé des abus. Si un jour, nous assouplissons la règle du port du veston et de la cravate, le phénomène se produira probablement durant toute l'année.

Les entreprises qui ont été plus permissives ont remarqué un taux de retard et d'absentéisme plus élevé. Plus la tenue vestimentaire est décontractée, plus la qualité du langage et le rendement au travail en souffrent. C'est tellement difficile de plaire à tout le monde. Souvenez-vous qu'il vaut toujours mieux être trop élégant que pas assez.

Les tenues pour les grands événements

Lorsque vous recevez une invitation, l'hôte indique la tenue vestimentaire des invités. Pour éviter toute confusion, si vous vous demandez quoi porter pour l'occasion, voici les réponses à vos questions.

Tenue de ville (la plus universelle)

Si votre carton d'invitation ne stipule aucune tenue particulière, vous pouvez en déduire que ce sera la tenue de ville. Si vous recevez une invitation pour un cocktail, la plupart du temps, la tenue de ville sera indiquée ou non. Il faut consulter votre agenda et prévoir, la veille, les vêtements que vous porterez pour l'événement en question. La tenue de ville est portée le jour et le soir.

L'homme porte un complet et cravate. Plus l'événement est important, plus la couleur du complet sera sombre : bleu marine, gris, noir.

La femme opte pour la robe courte ou le tailleur (veste et jupe ou pantalon) si c'est un cocktail. On peut aussi lire *tenue d'affaires*. Celle-ci peut vous permettre d'assister à la plupart des événements qui se tiennent en soirée. Si vous portez des gants, il faudra les enlever pour les poignées de main, pour boire ou pour manger. Le chapeau ne se porte pas après 17 heures.

Smoking ou cravate noire

Lorsque la mention smoking (appelé aussi cravate noire) est indiquée sur l'invitation, celui-ci est de mise. Cette tenue se porte lors de soirées officielles, de bals, de dîners, de danses, de réceptions, à l'opéra. Elle ne se porte pas pendant le jour. En français, on dit smoking alors qu'en anglais on dit *black tie* ou *tuxedo*.

Pour l'homme, le smoking est fait en tissu noir ou bleu foncé. Les pantalons sont droits, sans revers, et sont ornés d'un galon en satin ou en velours sur toute la longueur. La veste est droite ou croisée, avec des revers en soie, accompagnée d'un gilet ou d'une ceinture en soie, en brocart ou en velours. Le nœud papillon qui complète cette tenue est généralement en soie et est assorti à la ceinture de soie. La chemise est blanche à col ordinaire ou cassé et les boutons de manchettes sont permis, mais ils sont non indispensables. Les chaussettes sont noires, les chaussures en cuir verni noires, lacées ou non. Si la veste du smoking est de coupe croisée, on oublie la large ceinture de soie car la veste sera portée boutonnée.

La femme opte pour une robe du soir courte, longue ou trois quarts ou une jupe longue et un chemisier. C'est la tenue la plus utilisée lors des soirées

Cravate noire d'été

S'il est écrit « cravate noire d'été », cela signifie que la veste de monsieur sera blanche ; cela est très acceptable en été avec un pantalon noir.

Cravate noire facultative

S'il est écrit « cravate noire facultative », cela signifie que monsieur portera un complet noir ou bleu nuit agrémenté d'une chemise blanche habillée (poignets mousquetaires) et d'une cravate, d'habitude noire.

Tenue de cérémonie
(portée le jour avant 18 heures)

Cette tenue consiste en une veste queue-de-pie, aussi appelée jaquette. La veste est noire à pans ouverts et descend jusqu'aux genoux. Elle se porte avec un pantalon rayé de gris. Un gilet gris ou noir complète la tenue. On porte une cravate de soie grise, un chapeau haut-de-forme gris ou noir ainsi que des gants gris. Les chaussettes et les chaussures sont noires.

La femme portera une robe d'après-midi qui sera agrémentée de gants ou d'un chapeau si désiré. Il importe de vérifier la nature de l'événement avant de décider de porter le chapeau et les gants. Cette tenue de jour est portée lors de mariages, de funérailles et d'événements officiels.

Tenue de cérémonie (portée le soir seulement)

La tenue de cérémonie est aussi appelée tenue de gala, tenue de soirée. Il s'agit de la tenue la plus chic portée lors des cérémonies officielles en soirée, des bals, des dîners, des réceptions, du théâtre ou de l'opéra. Elle ne se porte jamais le jour.

Monsieur portera une veste ornée de revers en soie et de pans ouverts jusqu'aux genoux. Ce type de veste ne couvre pas les hanches. Le pantalon sera noir ou bleu sombre et il est garni d'une bande de velours qui part de la taille jusqu'au bas du pantalon. La chemise peut être brodée ou unie et ornée de boutons de manchettes. Son col peut être droit ou cassé. Les chaussures sont en cuir véritable. Les gants et la cravate sont blancs. Un chapeau haut-de-forme complète le tout. C'est avec cette tenue que les hommes revêtiront le manteau noir ou la cape noire.

Madame portera une robe longue ou semi-longue avec ou sans gants. Ceux-ci conviennent tout à fait à une robe sans manches. Dans ce cas, ils doivent monter jusqu'au dessus du coude. Des gants courts se portent avec une robe à manches longues. Lors d'un dîner officiel, on enlève ses gants à table.

Le costume national d'un pays peut remplacer la tenue de cérémonie lors d'événements spéciaux. Il faut cependant le préciser sur les cartons d'invitation.

Vêtement sport ou tenue semi-formelle

Cette tenue se porte lors des réceptions plus intimes entre amis ou connaissances professionnelles, en toute simplicité. L'homme portera un veston sport, une chemise à col ouvert ou un col roulé. On peut, dans certaines occasions, omettre le veston et la cravate. On portera des chaussures sport de style flâneurs et des chaussettes de la même couleur que le pantalon. La ceinture fera partie de la tenue sport ou semi-formelle.

La femme portera un ensemble pantalon avec un chemisier ou un pantalon et un pull. La jupe se portera également ou le bermuda ainsi que la camisole. On peut y ajouter une veste sport ou un cardigan.

Tenue décontractée ou informelle

Cette tenue est portée lors des réceptions entre amis, d'un *party* de piscine, un barbecue, un pique-nique, un brunch, une épluchette de blé d'Inde. C'est peut-être le seul moment où le jean et le chandail sans col et sans manches sont portés, bien que les plus jeunes aient adopté le jean pour les tenues sportives ou semi-formelles, mais avec un veston.

S'habiller pour sa profession

Les vêtements sont choisis en fonction de notre personnalité, de notre physique et de la profession que nous exerçons.

Les domaines financier et juridique et la direction générale de grandes entreprises

Il s'agit d'endroits conservateurs. Plusieurs institutions financières ont même opté pour le port de l'uniforme pour leurs employés.

Qu'est-ce qu'une tenue conservatrice? Ce sont des couleurs sobres: bleu marine, noir, bourgogne, taupe, beige, kaki. Le brun n'est presque pas utilisé dans ce milieu, à moins qu'il ne convienne très bien à votre teint, ce qui n'est pas le cas pour tout le monde.

L'ensemble composé d'une veste, d'une jupe ou d'un pantalon est très bien accepté de nos jours. Les gens de finances aiment projeter une image de pouvoir et de prospérité. Ils misent donc sur les couleurs du pouvoir: bleu marine, gris, noir, kaki, taupe. La tenue vestimentaire est un langage efficace et un moyen de communication que les employés doivent apprendre à décoder. La réussite est loin d'être incompatible avec l'esthétique et le bon goût. Les banquiers en général n'aiment pas les couleurs trop vives, les cuirs, les denims et les tissus lustrés. Plus le tissu est mat, plus il est synonyme de pouvoir.

Dans le domaine de la justice, on mise sur les couleurs autoritaires: noir, gris foncé, bleu marine. Ce n'est pas par hasard que la toge est noire. Cette couleur est synonyme d'autorité et neutralise les distractions et les émotions pendant les plaidoiries. De cette façon, que vous soyez avocat de la couronne ou de la défense, vous serez sur un pied d'égalité. Cependant, dans votre bureau, lors de consultations, vous pouvez porter des couleurs plus claires.

L'architecture et l'ingénierie

Si vous allez sur les chantiers, vous vous habillerez en conséquence. Si vous travaillez dans une salle de dessin et que les clients ne vous voient pas, votre tenue sera plus décontractée tout en étant de bon ton. Si vous allez visiter des clients ou que vous les recevez au bureau, la tenue d'affaires est de mise : complet pour les hommes et ensemble pour les femmes.

Les domaines artistique, des communications, des médias et de l'informatique

Il est assez rare de rencontrer quelqu'un du domaine des arts portant la tenue d'affaires composée d'un veston et d'une cravate. Si je me réfère à un article paru dans un journal d'affaires concernant le directeur du Cirque du Soleil, il avoue avoir troqué ce genre de tenue traditionnelle pour des vêtements beaucoup plus décontractés qui conviennent à son milieu de travail. C'est un secteur où les gens ont la chance de pouvoir exprimer leur créativité par leur façon de se coiffer, de se vêtir, de se comporter. Ils adoptent souvent un style unique et avant-gardiste et l'adaptent à leur personnalité. On les voit souvent en tenue sport, décontractée ou informelle. Les gens du domaine des arts, du design, de la publicité, de la mode et des médias opteront pour des vêtements aux couleurs vives et miseront sur les matières originales. Ils peuvent également surprendre par leurs vêtements griffés à la toute dernière mode.

Le secrétariat, la bureautique et le personnel de soutien

La réceptionniste préposée à l'accueil des visiteurs représente l'image de l'entreprise pour laquelle elle travaille. Il n'est pas nécessaire d'acheter des vêtements coûteux pour avoir une allure professionnelle. L'important est de se connaître, de connaître son budget et d'accorder une priorité aux achats de ses vêtements tout comme on le fait pour les autres dépenses.

La plupart des réceptionnistes ou des adjointes négligent cet aspect, car elles pensent que les priorités sont ailleurs et elles se contentent de peu. Comment acheter peu et acheter mieux ? Je vous conseille de lire les pages précédentes et de suivre les étapes. Apprenez à établir vos priorités d'achat et à planifier.

Les adjointes et les réceptionnistes sont appelées à rencontrer beaucoup de monde et leurs responsabilités sont multiples. Leurs vêtements doivent donc être de qualité et leur apparence des plus soignées, de la tête aux pieds.

Les jeans, les camisoles moulantes et décolletées, les mini ou microjupes, les shorts ou les bermudas, les bretelles spaghettis (qui laissent voir ou non les bretelles du soutien- gorge), les pantalons moulants, les chandails bedaine, les sandales de plage sont à proscrire. Les hommes n'ont pas à porter tous les morceaux qui composent leur complet. Ils opteront plutôt pour les interchangeables faits d'une ou de deux vestes plus décontractées avec des pantalons, un pull ou un polo, sans cravate. Les femmes porteront la jupe, le pantalon sans nécessairement porter le tailleur, avec un chemisier ou un pull.

Le cadre, le consultant, le *coach*, le formateur et le vendeur

Lorsque les gens vous consultent, ils achèteront d'abord votre personne avant le produit. Inutile d'insister sur votre tenue vestimentaire. Portez des vêtements qui mettront les gens en confiance. Habillez-vous de façon à refléter le milieu dans lequel vous évoluez. Portez des couleurs qui inspirent confiance. Plus votre secteur d'activité est conservateur, plus sobre sera votre tenue vestimentaire. Le facteur le plus important consiste à ce que vos clients se sentent à l'aise avec vous. Il ne faut pas en imposer avec une tenue trop exagérée et il ne faut pas vous négliger non plus. Il faut trouver le juste milieu. Par exemple, je ne porte pas les mêmes vêtements lorsque je donne une formation à des employés de bureau ou lorsque je rencontre des directeurs d'entreprises. Je m'habille de façon que mes clients me perçoivent comme une des leurs.

À vous de jouer!

Deuxième partie

Le savoir-faire

L'importance
des bonnes manières

La politesse coûte peu et achète tout.

Montaigne

Les règles d'étiquette

Lorsque j'ai fréquenté l'école, il y a quelques décennies de cela, nos éducateurs nous enseignaient la bienséance. On nous apprenait ce qu'il convenait de dire ou de faire en société. En résumé, il s'agissait des grandes règles du savoir-vivre et de la décence. Nos parents ainsi que leurs parents qui avaient également reçu cet enseignement à l'école nous reprenaient lorsque nous commettions une entorse à ces précieuses règles. C'était leur façon de nous préparer à faire notre entrée dans le grand monde ou le monde des grands, comme ils disaient. Ce transfert de connaissances de génération en génération est à mon humble avis un héritage encore plus précieux que l'argent.

Dans les années 1960, le monde de l'enseignement a connu une réforme assez sévère et cela a touché particulièrement certaines matières. Cette révolution fut qualifiée de *tranquille,* mais aujourd'hui, nous en payons chèrement le prix. Nous n'avons qu'à constater l'ignorance des gens vis-à-vis de la politesse et de la courtoisie, que ce soit au travail, en société, dans la rue ou même au volant. À cette époque, la bienséance et ses règles furent associées à la vieille économie et comme on voulait aller vers une formule d'enseignement plus moderne, on a tout simplement retiré cette matière des programmes scolaires. Quelques décennies plus tard, les règles d'étiquette et de savoir-vivre ont fait un retour appréciable dans le monde des affaires, poussant ainsi plusieurs cadres et employés à rectifier le tir et à retourner vers des valeurs sûres, soit la connaissance et l'application des bonnes manières. Aujourd'hui, on avoue humblement son ignorance dans ce domaine et on reconnaît l'importance d'en connaître les bienfaits. Mais retournons quelques années en arrière.

Au début des années 1980, on porte beaucoup d'intérêt à l'image personnelle et professionnelle. Les gourous, pour la plupart américains, nous ont guidé dans ce sens. Ils ont écrit des livres sur le sujet et plusieurs d'entre eux sont toujours présents sur les tablettes. Parmi eux, le plus célèbre est sans contredit John T. Molloy. Ce consultant en image a fait des recherches, des tests en entreprise, et a brassé la cage de plusieurs gens d'affaires. Dans son livre *New Dress for Success*, il couvre toutes les professions, de la réceptionniste au portier ou maître d'hôtel. Il y fait la preuve que ses théories fonctionnent et que l'image compte beaucoup, surtout pour ceux qui se trouvent à l'accueil. D'autres livres traitant de l'image actuelle ont été publiés, mais ils sont pour la plupart en anglais.

À la fin des années 1980, on porte un intérêt plus marqué aux règles d'étiquette. On se rend compte qu'elles ont été chamboulées depuis la venue des femmes en plus grand nombre sur le marché du travail. On adopte donc de nouvelles règles qui dictent le comportement moderne entre les hommes et les femmes d'affaires.

Les événements du 11 septembre 2001 de même que la série de scandales financiers aux États-Unis ne sont pas étrangers à ce retour à l'intérêt marqué pour l'étiquette sociale et professionnelle. Le mot « éthique » est aussi revenu, par le fait même, à la mode.

Aujourd'hui, plusieurs dirigeants réalisent que leur comportement influence la bonne marche de leur carrière ainsi que la santé financière de leur société. La globalisation des marchés a également rapproché les cultures, mais les différences entre elles demeurent inconnues et les risques d'erreurs se multiplient.

Il faut savoir que dans le monde des affaires, les bonnes manières vont bien au-delà de l'usage des couverts et de la serviette de table. On est préoccupé surtout en ce qui concerne le moment propice pour échanger des cartes professionnelles, comment donner suite à une rencontre, comment être à l'aise et rendre les gens qui nous entourent à l'aise, peu importe la situation.

Aujourd'hui, les professionnels qui maîtrisent bien ces règles et qui savent se placer au même niveau que leur entourage établissent autour d'eux un sentiment de confiance et deviennent plus humains. C'est aussi ce qu'on appelle le charisme.

Test d'évaluation sur les bonnes manières

Sur une feuille de papier, répondez par Vrai ou Faux aux énoncés suivants.

1. Il est convenable de se présenter en retard lors d'une première journée de travail.

2. Le vendredi, je peux m'habiller plus décontracté parce que tout le bureau le fait.

3. Je devrais tutoyer mon patron parce que cela me rapproche de lui.

4. Une bonne façon de plaire aux visiteurs est de me présenter en utilisant mon prénom seulement.

5. Si un collègue interfère dans mon travail, je devrais tout de suite demander au patron de régler la situation.

6. Il est important de participer aux potins du bureau, cela facilite mon intégration au groupe.

7. Mon patron m'a invité à dîner chez lui. Je devrai l'inviter à mon tour.

8. Mon patron m'a offert un cadeau. Je dois lui en donner un en retour.

9. Je peux envoyer promener un collègue qui me déplaît. C'est une bonne façon de m'affirmer et l'on me respectera davantage.

10. Si j'envoie mon curriculum vitae à un futur employeur, je n'ai pas à inclure une page de présentation.

11. Lorsque je réponds au téléphone, je dis tout simplement « Allô ».

12. Je peux écrire tout ce que je veux dans un courriel que j'envoie en provenance de mon bureau.

Les réponses

Question 1. La réponse est Faux. Ce n'est pas convenable de se présenter en retard à un nouvel emploi. Votre employeur vous attend à une heure fixe et vous vous devez d'y être. C'est très maladroit d'arriver en retard, car cela démontre que vous êtes négligent ou que vous manquez d'initiative. Assurez-vous d'avoir un réveille-matin qui sonnera à l'heure programmée ou encore demandez à un ami de vous appeler pour vous réveiller.

Question 2. La réponse est Faux. Si ce code vestimentaire s'applique dans votre entreprise, cela n'est pas nécessairement le cas pour tous les employés. Si vous êtes à l'accueil ou à la réception, cela n'est pas pour vous. Si vous avez des rendez-vous, ce code ne s'applique pas à vous, pas plus qu'à votre adjointe. Il faut donc vérifier les agendas avant de s'habiller d'une façon plus décontractée. Lisez les pages précédentes qui traitent de ce sujet.

Question 3. La réponse est Faux. Vous ne devez jamais tutoyer votre patron ou vos collègues. Appelez-les Monsieur ou Madame jusqu'au moment où votre patron ou vos collègues vous donnent la permission de les tutoyer, et cela ne sera certainement pas le cas lors de votre première journée de travail. Même si vous remarquez que tous les employés se tutoient, ne prenez pas cette initiative. Demandez à votre patron quelles sont les règles à suivre concernant le tutoiement dans l'entreprise. C'est une marque de respect et on vous appréciera d'autant.

Question 4. La réponse est Faux. Cette façon de faire peut embarrasser les gens. Dites votre nom au complet lors des présentations.

Question 5. La réponse est Faux. Si un collègue interfère dans votre travail et que cela vous déplaît, essayez d'éclaircir la situation entre vous. Si, malgré vos efforts, la situation perdure, confiez à votre patron que vous avez tenté de régler la situation vous-même, mais que cela n'a donné aucun résultat. À ce moment, il pourra intervenir.

Question 6. La réponse est Faux. Vous pouvez écouter ce qui se dit, mais laissez courir les rumeurs. Montrez-vous désintéressé. Ne vous en mêlez pas. Ne devenez pas cette personne qui alimente les potins. Soyez discret.

Question 7. La réponse est Faux. Que votre patron vous invite seul ou en groupe, chez lui ou au restaurant, vous n'avez pas à l'inviter en retour. Vous n'avez qu'à le remercier ainsi que son épouse si elle assiste à l'événement.

Question 8. La réponse est Faux. Votre patron vous a offert un cadeau, vous n'avez qu'à le remercier. Vous n'avez pas à lui donner un cadeau en retour.

Question 9. La réponse est Faux. N'envoyez jamais promener un patron ou un collègue qui manque de politesse à votre égard. Soyez courtois et gardez votre sang-froid. De cette façon, vous lui ferez prendre conscience de son manque de tact. J'oserais même vous conseiller d'être encore plus poli qu'à l'habitude. De cette façon, on vous respectera.

Question 10. La réponse est Faux. Utilisez toujours une page de présentation comme entrée en matière. Profitez-en pour y inscrire le titre de la personne à qui vous écrivez, suivi d'un texte bien composé et sans fautes, puis ajoutez-y vos meilleures salutations. C'est une façon de faire professionnelle et cela sera apprécié de la part du futur employeur.

Question 11. La réponse est Faux. Il y a plusieurs façons polies de répondre au téléphone. Si vous êtes à la réception, dites «Bonjour» suivi ou précédé du nom de votre entreprise. Si vous répondez à un téléphone, dites votre prénom, votre nom et le nom de votre service. Lorsque vous répondez à un appel d'affaires sur votre cellulaire, dites votre prénom, votre nom, suivi ou précédé de «Bonjour».

Question 12. La réponse est Faux. Lorsque vous utilisez le courriel de votre employeur, il est légalement lié aux mots que vous employez. N'écrivez rien qui pourrait nuire à quiconque. Ne vous servez pas du courriel de votre employeur à des fins personnelles.

Il n'existe rien de moins confidentiel qu'un courriel.

L'étiquette et le protocole

*Traitez chacun avec autant de
courtoisie, de respect et d'intérêt que
si c'était un invité important.*

Donald Tubesing

Lorsque j'étais jeune et que la visite s'annonçait, ma mère sortait ses recommandations d'usage :

- Dites bonjour aux invités.
- Laissez parler les adultes.
- Tenez-vous bien à table.
- Soyez discrets.
- Demandez la permission pour vous retirer de table.
- Occupez-vous des cousins.
- Etc.

Lorsque nous étions en visite, c'était la même chose :
- Dites bonjour à l'arrivée et merci au départ.
- Dites merci lorsqu'on vous offre quelque chose.
- Ne vous servez pas dans les plateaux de bonbons. Attendez qu'on vous en offre.
- Ne demandez pas une seconde portion.
- Jouez calmement.
- Ne dérangez pas la conversation des adultes.
- Etc.

Vous vous demandez sans doute à quoi servent toutes ces règles de comportement. C'est très simple, elles servent à faciliter les communications entre les individus et à faire de cette planète un lieu où il fait bon vivre.

L'histoire de l'étiquette

Lors de mes formations ou conférences, on me demande souvent qui est responsable des règles d'étiquette et du protocole utilisés dans notre société. La majorité de nos règles d'étiquette proviennent de l'Antiquité grecque et elles ont traversé les époques.

En France, c'est au Moyen Âge qu'elles ont fait leur apparition, d'abord à la cour du roi, puis dans les monastères. C'est à la Renaissance qu'elles prennent leur essor en Italie. Les règles ont évolué, mais la base, c'est-à-dire le respect entre les individus, existe toujours.

En étudiant l'origine des mots «politesse» et «savoir-vivre», qui sont les ancêtres des mots «bienséance» et «étiquette», j'ai constaté que le mot «politesse» a été attesté dès le XVIᵉ siècle et que le sens actuel date du XVIIIᵉ siècle. Il vient des mots «élégance» et «soin». Il fut tout d'abord considéré comme un synonyme du mot «civilité», jusqu'alors utilisé par la bourgeoisie.

Le mot «savoir-vivre» serait apparu au XVᵉ ou au XVIIᵉ siècle; les dictionnaires ne semblent pas s'accorder sur ce point. Il existe plusieurs traités italiens et français sur le sujet, et d'autres venant de l'Espagne, de l'Angleterre et de l'Allemagne.

Les traités de savoir-vivre voient le jour au XIXᵉ siècle. Ils sont plus modernes et plus pragmatiques. Ils sont considérés comme des ouvrages de référence qu'on consulte lors d'occasions spéciales : mariages, funérailles, naissances, baptêmes, visites, dîners, bals. Il s'agit alors de manuscrits rédigés en vers ou composés de proverbes. On y apprend à se comporter avec les dames et comment se tenir à table. Castiglione et Érasme sont deux auteurs qui ont marqué l'histoire de notre civilisation.

Ces traités ont évolué avec le temps. Avec la révolution industrielle, les règles du savoir-vivre se sont imposées. Les livres se sont multipliés et sont devenus des ouvrages de référence.

Au XXᵉ siècle, soit en 1922, Emily Post, une Américaine, est devenue célèbre grâce à son livre portant sur l'étiquette en société, en affaires, en politique et à la maison. Aujourd'hui, au XXIᵉ siècle, ses arrière-arrière-petits-enfants, Peggy et Peter Post, enseignent toujours les règles d'étiquette rendues célèbres grâce aux écrits de leur célèbre ancêtre. Tous leurs ouvrages, et ils sont nombreux, connaissent un vif succès.

Les livres modernes traitant de ces sujets ne se comptent plus. On les lit souvent par curiosité et on en tire encore des leçons.

Qui établit ces règles ? Qui les modifie ? Voyons d'abord la différence entre le protocole et l'étiquette.

Le mot « étiquette » est dans bien des cas synonyme de malaise. Pourquoi ? Parce que trop souvent, on improvise. De plus en plus, les gens d'affaires sont conscients de l'importance des bonnes manières tant dans leur milieu de travail que dans leur vie privée. De nos jours, le « passable » n'a plus sa place. On recherche donc davantage les gens qui ont de la classe et de la personnalité. Le savoir-faire est une carte de visite fort précieuse.

Le protocole couvre un domaine assez vaste, allant de l'organisation de grandes soirées, de réunions, de séminaires, de colloques et de congrès à la disposition des drapeaux lors d'une réception officielle. L'utilisation du mot « protocole » peut prêter à confusion. On l'associe souvent au monde de la diplomatie et à ce qui entoure les banquets et les soirées officielles. Certains utilisent ce mot plutôt que « étiquette » tout simplement parce qu'ils le pensent plus moderne, alors qu'il fait partie de la vie depuis des milliers d'années. Certains autres emploient à tort le mot « éthique ».

« Le protocole fut inventé par les Chinois afin d'établir les règlements relatifs à l'ordre qui détermine les étapes de la conduite diplomatique. Ce type d'arrangements est très important pour un pays. » (Source : Joseph V. Reed, Jr., chef du protocole au Département d'État, *The Washington Post*, 28 novembre 1989.)

« Le protocole ne consiste pas seulement à déterminer l'ordre dans lequel on s'assoit : il s'agit d'une formule qui sert à déterminer les règles dans les relations internationales. » (Source : Selwa Roosevelt, ancien chef du protocole, *Washington Times*.)

Le protocole des affaires concerne tout individu conscient de l'image qu'il veut donner de son entreprise, tant au travail que dans ses loisirs.

Afin d'éviter toute confusion dans la signification des mots, voyons les définitions données par le *Petit Larousse.*

Étiquette : n. f. (anc. fr. estiquer, attacher). Cérémonial en usage dans une cour, dans la maison d'un chef d'État, dans une réception. Observer l'étiquette.

Éthique : n. f. Philos. Doctrine du bonheur des hommes et des moyens d'accès à cette fin. Ensemble particulier des règles de conduite (syn. Morale).

Protocole : n. m. (fr. prôtocollon ; de prôtos, premier et kolla, colle). Formulaire pour dresser les actes publics. Procès-verbal de conférence diplomatique. Ensemble des règles établies en matière d'étiquette d'honneurs, de préséance dans les cérémonies officielles.

À quand l'enseignement de l'étiquette et du protocole dans les écoles de commerce ?

Aux États-Unis, les cours d'étiquette et de protocole sont intégrés dans les programmes de MBA au même titre que la formation en éthique ou en morale.

Des dîners au cours desquels on apprend la méthode universelle de se comporter à table sont organisés sur une base régulière. On y apprend également la façon de glisser une carte de remerciement dans un courrier au moment opportun ainsi qu'une foule d'autres petits détails qui peuvent s'avérer très payants au cours d'une carrière. On enseigne donc aux étudiants à devenir « citoyens du monde ». Pourtant, cette matière n'est pas encore enseignée dans nos écoles et de moins en moins dans nos familles.

Comment se portent les bonnes manières et le savoir-vivre dans votre entreprise ?

Posez-vous cette question : « Est-ce que nos employés représentent bien l'image de notre entreprise en tout temps ? »

En fait, quels sont les avantages de pratiquer les règles de politesse ? Tous les peuples partagent des codes et des conventions qui déterminent le comportement à utiliser en société. Ces codes forment les règles de politesse également appelées savoir-vivre, comportement, bienséance ou étiquette. La connaissance de ces codes facilite les relations interpersonnelles et contribue à créer un équilibre social. En observant le comportement d'un individu, nous pouvons détecter un manque d'éducation ou encore une bonne utilisation des normes établies.

L'utilisation intelligente des règles d'étiquette et de protocole contribue sans contredit à rehausser l'image de marque de l'entreprise, à améliorer la qualité de vie dans le bureau et à donner confiance aux employés. Une fois que les règles sont intégrées, elles font partie du quotidien. Tout l'entourage s'en réjouit, et ce, à tous les niveaux hiérarchiques. J'ai rencontré, lors de mes formations, des employés malheureux à cause de l'attitude de leur patron. Les bonnes manières sont une affaire d'équipe. On ne se parle pas parce qu'on ne sait pas comment aborder les gens ou comment traiter les sujets. On ne veut pas blesser les autres. C'est bien louable comme intention, mais c'est bien souvent cette attitude de « garder tout en dedans » qui contribue à l'épuisement professionnel. Savoir utiliser les bons mots au bon moment, c'est curatif.

D'un autre côté, qu'arrive-t-il lorsque cet aspect est négligé ? Pensez à l'effet négatif qu'aura un employé impoli, égoïste, négligent sur ses collègues et, surtout, sur le fait que les clients seront tentés d'aller voir ailleurs. On dit que la majorité des clients qui sont mal servis ne se plaignent pas mais changent de fournisseur sans avertir. Ce mécontentement se multiplie lorsque les insatisfaits témoignent de leurs aventures malheureuses avec leurs familles ou amis.

Misez sur la valeur humaine avant tout

Les gens sont plus importants que les procédés. Depuis les dernières années, les entreprises ont dépensé des milliers de dollars pour réorganiser, restructurer leurs procédés et leurs méthodes de travail, laissant ainsi de côté les valeurs humaines. Cela a donné naissance à la réingénierie, aux normes ISO. Puis, on nous apprend à nouveau que les gens sont importants pour faire arriver les choses. Nous le savions déjà, mais nous l'avions simplement oublié...

L'attitude qualité

Je pourrais vous énumérer des noms de commerces chez qui je n'irai plus à cause d'un piètre service. L'«attitude qualité», c'est une affaire d'équipe. Voici un exemple : pour acheter ma dernière voiture, je me rends chez un concessionnaire et la première approche est excellente. Le représentant qui s'occupe de moi est très courtois. Il prend son temps, m'écoute et me fait même une recommandation très alléchante à laquelle je n'aurais pas pensé. J'achète donc le véhicule qu'il me propose. Je suis heureuse de l'achat et je remercie le représentant en le félicitant de ses bonnes manières et de son respect envers la clientèle.

Arrive le moment d'aller rencontrer le directeur du crédit. Le représentant m'accompagne, me présente et c'est là que la situation se gâte. Le directeur de crédit est assis à son bureau. Il me regarde à peine et reste assis. Il m'indique un siège et continue à brasser des dossiers. Il aurait dû se lever et me donner la main. Il aurait ainsi continué le bon travail commencé par le représentant.

Un collègue se présente dans l'embrasure de la porte et il lui fait la conversation pendant plusieurs minutes. Moi, la nouvelle cliente, j'attends patiemment que Monsieur le directeur de crédit termine sa conversation. Le collègue obtient ses informations et quitte le bureau. À ce même moment, le téléphone sonne. Le directeur de crédit y répond et la conversation dure quelques minutes. Je suis dans ce bureau depuis bientôt une demi-heure et j'attends toujours, moi la cliente, qui vient de dépenser quelques milliers de dollars pour l'achat de ma voiture chez eux plutôt que d'un autre concessionnaire. Après plusieurs minutes et quelques frustrations, j'ai enfin son attention. J'ai le sentiment que cela ne se passera pas trop bien. Je bouille d'impatience et lui est pressé de me voir sortir de son bureau.

À la suite de cette visite et jusqu'à la livraison du véhicule, il y a eu des embûches en raison du manque d'intérêt du directeur de crédit, un individu qui ne sait pas comment traiter les gens. Ainsi, j'ai dû retourner chez le concessionnaire pour signer des documents alors que cela aurait pu être fait lors de la première rencontre.

Lors de la livraison du véhicule, le directeur des ventes fut mis au courant de l'attitude du directeur du crédit. Mais je ne crois pas que cela ait changé quoi que ce soit. Ce directeur de crédit représente le maillon faible de la chaîne d'employés. Quel employé dans votre chaîne représente le maillon faible ? Même s'il s'agit d'une seule personne, c'est elle qui fera céder la chaîne. Dans le cas qui me concerne, je ne veux plus faire affaire avec ce concessionnaire. Espérons que ma prochaine aventure automobile sera plus concluante et satisfaisante.

Je suis certaine que vous avez déjà expérimenté des moments semblables. Il me semble que la situation se détériore depuis des années.

Quel est le rôle des bonnes manières au bureau ? Est-ce que les entreprises offrent des formations aux vendeurs seulement, au détriment des autres employés qui sont tout aussi importants dans le processus de service à la clientèle ? De la réceptionniste à la personne qui livre la voiture, ces gens sont d'égale importance. Je parle ici de concessionnaire d'automobiles, mais cela s'applique dans toutes les entreprises.

Tirez vous-même les conclusions !

La base d'un comportement impeccable au travail

> *La connaissance des êtres, l'étude de leur comportement, est le commencement de la sagesse.*
>
> Madeleine Ferron (*Le chemin des dames*)

Voici quelques règles de savoir-faire au travail. Elles concernent tout autant les supérieurs que les employés, peu importe le niveau hiérarchique.

Saluez vos collègues en arrivant au travail et en partant

Vous devez toujours saluer les personnes que vous croisez, que ce soit dans l'ascenseur, les couloirs, les bureaux. Saluez aussi celles que vous rencontrez à l'extérieur du bureau. Saluez les visiteurs qui attendent à la réception. Affichez un sourire, faites un signe de la main et regardez les gens. Ceux-ci sont plus importants que tout. N'oubliez pas de saluer la personne préposée à l'accueil ou la réceptionniste.

Si vous ignorez les gens, vous donnez une image négative de l'entreprise

Imaginez ce que remarquera le visiteur assis dans la salle d'attente. Aura-t-il le goût de faire affaire avec votre entreprise ? Quelle interprétation donnera-t-il à votre manque d'intérêt ? À vous de décider.

Accueillez chaleureusement les visiteurs

Accordez toute votre attention aux visiteurs, qu'ils soient clients, fournisseurs, invités, représentants. Laissez vos problèmes derrière vous.

Lorsque j'anime des ateliers à l'intention des réceptionnistes, je pose cette question : « Lorsque les gens se présentent devant vous et que vous êtes déjà au téléphone, comment réagissez-vous, que dites-vous ? » Un jour, une participante a répondu d'un ton décidé : « Moi, lorsqu'un visiteur se présente et que je suis au téléphone, je ne le regarde pas, comme ça je ne me fais pas déranger. ». Une fois remise de ma surprise, je lui ai demandé : « Qui vous a donné ce conseil ? » « C'est une personne à l'interne. Elle a déjà été réceptionniste à cet endroit et elle m'a dit que c'était vraiment la meilleure attitude pour ne pas être dérangée. » Ce comportement n'est pas acceptable dans un monde dit civilisé. Si jamais cela vous arrivait, n'hésitez pas à le mentionner aux gestionnaires de l'entreprise.

Souriez lorsque vous êtes au téléphone, c'est magique

Peu importe le poste que vous occupez dans l'entreprise, le sourire au téléphone, c'est magique et cela s'entend ! Mary Kay, la fondatrice des Cosmétiques Mary Kay, fut pour moi la meilleure ambassadrice du sourire au téléphone. J'ai vu le film racontant son histoire et je me souviens tout particulièrement de cette scène où Mary Kay, personnifiée par Shirley MacLaine, est assise à son bureau en plein travail et que le téléphone sonne. Sa première réaction est d'arrêter son travail, de réviser sa posture avant de prendre l'appareil. Au même moment, elle ouvre un joli coffret placé tout près de son téléphone. Ce coffret cache un miroir. Elle se regarde et passe instantanément en mode sourire tout en replaçant sa légendaire perruque et en soulevant le récepteur. Elle accroche son sourire le plus chaleureux et elle répond à son appel de la façon la plus charmante possible comme si la personne qui était au bout du fil était la plus importante du monde. Les gens aimaient parler à cette femme dynamique et chaleureuse. Mary Kay avait compris avec son grand sens du marketing que le sourire était magique et elle s'en servait. Pourquoi ne pas l'imiter ?

Autre conseil, ne faites pas trois choses à la fois lorsque vous êtes au téléphone, car cela s'entend aussi. Avant de décrocher, préparez-vous mentalement à répondre de votre mieux avec le plus beau sourire. N'oubliez pas que c'est la personne la plus importante de la planète qui vous appelle.

Ne raccrochez pas brusquement le téléphone

Allez-y doucement et n'oubliez pas que c'est la personne qui appelle qui doit d'abord raccrocher le téléphone.

Ayez un environnement de travail propre

Gardez votre environnement de travail le plus zen possible. Évitez les autocollants sur les murs, les photos, les dessins, etc. Votre environnement est le reflet de votre personnalité. Pensez-y!

Respectez l'environnement de travail de vos collègues

Parlez moins fort, ne faites pas de bruit, ne claquez pas les portes. Le coin réservé au photocopieur n'est pas un endroit pour s'amuser. Il y a des gens qui travaillent autour.

Respectez les aires de réception

Parlez moins fort. Évitez les conversations négatives, les potins ou les familiarités où que vous soyez dans l'édifice ou à l'extérieur. Le sourire est silencieux et tout aussi efficace. Quelle triste idée de placer le télécopieur ou le photocopieur près du bureau de la réceptionniste! Cet endroit doit être calme. Comment peut-elle bien accomplir son travail quand elle a de la difficulté à entendre les gens? Patron, pensez-y! Ce n'est pas l'idée du siècle.

N'envahissez pas l'espace de travail de vos collègues

Soyez discret. Si votre collègue est au téléphone, partez et revenez plus tard. S'il n'est pas au téléphone, demandez-lui la permission de l'interrompre en disant: «Est-ce un bon moment pour te parler?» Si on vous dit de revenir dans quelques minutes, ne soyez pas offusqué. N'engagez pas de conversations personnelles au bureau, faites-le, si vous le désirez, à la pause ou au lunch.

Empressez-vous de venir en aide à vos collègues sans rien attendre en retour

Si vous n'êtes pas trop occupé et que vous voyez un collègue qui ne sait pas comment il pourra livrer son travail à temps, offrez-vous à l'aider. N'attendez rien en retour. Un simple « merci » bien placé a toujours sa place.

Remerciez un collègue qui vous a aidé ou qui vous propose son aide

Utilisez des belles paroles pour remercier. Montrez-vous reconnaissant.

N'exagérez pas l'utilisation du parfum

Il y a de plus en plus d'allergies et les gens sont trop timides pour le dire. Ils préfèrent endurer. Nous vivons en société, ne l'oublions pas. On ne devrait pas porter de parfum au travail. Tout comme on a interdit la cigarette, on interdira le parfum dans les bureaux dans quelques années.

Soyez discret

Si vous êtes dans le bureau d'un patron ou d'un collègue et que le téléphone sonne, levez-vous et sortez. Si on vous fait signe de rester, assoyez-vous et soyez à l'aise. Il appréciera votre discrétion.

Soignez votre apparence

Portez des vêtements qui conviennent à votre personnalité et à votre type d'entreprise. Aussi, la mode du « vendredi décontracté » n'a plus la cote présentement et c'est tant mieux.

Soignez votre vocabulaire

Il est possible de s'affirmer tout en étant poli. Utilisez des mots plaisants, réconfortants. Évitez les paroles qui blessent et qui créent des sous-entendus ou des tensions.

Soignez votre attitude

L'attitude qu'adopte un directeur à l'égard de ses employés dépend de son éducation.

Il a donc tout intérêt à connaître les règles d'étiquette. On peut s'adresser à une femme en utilisant son nom de famille précédé de Madame. On peut aussi la vouvoyer, ou encore elle peut préférer qu'on s'adresse à elle par son prénom tout en la vouvoyant. Si elle vous donne la permission de la tutoyer, cela convient aussi. Il faut être clair dans ses attentes.

Le comportement gagnant

*La vérité peut sembler cruelle mais
combien stimulante lorsqu'elle
est exprimée positivement.*

Ginette Salvas

Le comportement du patron

Le patron idéal est animé par le souci de la gentillesse, de la politesse et du respect tant dans sa vie sociale que dans sa vie professionnelle. Je trouve que trop souvent, les gens sont durs, intraitables, impolis, voire cinglants, envers les autres. Les plus petites marques de politesse entre collègues sont des cadeaux fort appréciés.

Même si le bon patron est motivé par l'efficacité, il montrera davantage sa compétence en misant sur la compréhension et en étant humain envers ses employés.

Un bon patron sera :

- flexible (il respecte les règles qu'il impose aux autres) ;
- un exemple pour ses employés ;
- respectueux de l'opinion des autres ;
- à l'écoute des suggestions des employés ;
- humble (il ne laissera pas son ego dicter sa conduite) ;
- responsable (il tiendra ses promesses) ;
- un bon communicateur (il utilisera un vocabulaire positif envers les employés) ;

- discret (il respectera la vie professionnelle et privée de ses employés et fera ses recommandations en privé);
- motivant (il appuiera ses employés dans leurs démarches);
- positif (ses commentaires seront constructifs pour le bien de l'équipe);
- disponible (son bureau sera ouvert à ses employés);
- reconnaissant.

Le bon patron saura:

- gérer la discipline avec doigté;
- formuler clairement et communiquer simplement ses attentes;
- mettre un guide de l'employé à la disposition du personnel;
- fournir à ses employés les ressources nécessaires;
- assurer un suivi sur une base régulière;
- remercier, complimenter et encourager les autres;
- être conscient de l'impact qu'il a sur les autres;
- mesurer le choix de ses mots.

Normalement, lors de l'évaluation annuelle, le patron dira une phrase qui ressemble à celle-ci: «Ton travail est parfait, mieux que l'an passé, tu as fait des efforts, tu as corrigé certains points. Mais il reste encore des points qui méritent d'être améliorés.» Cette marque d'appréciation est trop générale, elle devrait être plus factuelle. Un compliment ne doit pas porter sur l'ensemble du travail de l'année. Dites immédiatement à un employé qui a fait un bon travail: «Ton travail est parfait, tu as fait preuve de beaucoup de créativité.»

Remerciez sur-le-champ, n'attendez pas que le moment soit propice. Le moment d'un compliment ou d'une marque d'appréciation est toujours propice.

S'il s'agit d'un travail d'équipe comme l'organisation d'un événement, remerciez l'équipe puis les individus sur une base plus personnelle et en privé.

Cette forme de remerciement aura un meilleur impact sur le moral des troupes qu'une récompense matérielle dont on ne se souviendra plus dans quelques semaines. Tapez sur le clou, comme on dit en marketing; cela veut dire remercier réguliè- rement, tout au cours de l'année, et vous aurez des employés heureux. En conclusion : soyez reconnaissant. Il s'agit là d'un puissant outil de gestion qui donne immédiatement des résul- tats tangibles. J'ai connu un patron en particulier qui était très exigeant sur le plan de la performance. Il était également exi- geant envers lui-même et il était d'une grande générosité. Je me souviens de sa rigueur, mais encore plus de son côté reconnais- sant.

Revenons à la réalité. Nous savons tous qu'il existe des pa- trons ayant des personnalités, des attitudes, des humeurs et des comportements différents. Comment nous y retrouver?

Les différents types de patrons

D'après des résultats de recherches effectuées par d'éminents savants, dont Hippocrate et Gallien, il existe quatre catégories d'individus que nous appellerons :

- les causeurs;
- les meneurs;
- les analytiques;
- les conciliants.

Les analyses sur le comportement humain sont venues con- firmer le fait que chaque personne est unique et qu'elle réagit de façon différente. C'est pourquoi il nous arrive de rencontrer des gens qui ont les mêmes réactions que nous et d'autres, des réactions opposées. L'erreur que nous commettons est de croire que tous les individus sont pareils. Il est donc essentiel de re- connaître les types d'individus que nous côtoyons afin de modi- fier nos attitudes et comportements dans différentes situations.

Comment reconnaître un patron de type causeur?

Il est animé, amical, chaleureux, impulsif, actif. Il parle beaucoup et il utilise des gestes ouverts. Il suit la dernière mode dans tout et il aime les gens. Il ne veut pas perdre d'amis au détriment d'une décision bonne ou mauvaise. Il favorise les relations sociales, les sorties au restaurant, les groupes. Il est créatif, intuitif, souple et flexible. Le danger : il aura de la difficulté à trancher. Il ne veut pas être impopulaire. Il se fie à son adjointe pour s'occuper des détails à sa place, car il a une vision globale des choses ; il voit le résultat final sans s'attarder aux détails.

Comment agir avec un patron de type causeur?

Soyez vous-même souple, flexible, enjoué. Développez une relation humaine avant tout. N'oubliez pas qu'il se fie à vous pour les détails. N'ayez pas peur de solliciter son expérience et son aide. Le plus difficile pour lui sera de trouver le temps pour répondre à vos attentes. Sachez lui faire valoir les avantages que son équipe en retirera s'il s'implique directement. Comme le causeur est une personne d'équipe, il vous aidera et il sera fier d'en retirer une fierté personnelle. Une phrase type : «Patron, d'après votre expérience, comment croyez-vous que nous pourrons livrer cette commande à temps ? » Pensez en termes d'équipe et non d'individus. Il vous répondra spontanément, le tout basé sur l'émotion. Ce patron aime les gens et il aime parler, parfois trop. Étant motivé par les changements, il aura tendance à passer d'un dossier à l'autre sans toutefois prendre le temps de les clore. Habituez-vous à ce comportement. Pour lui, le temps est élastique. Il sera souvent en retard à ses rendez-vous et il fera attendre les gens. Couvrez-le vis-à-vis des autres, il appréciera et vous deviendrez vite indispensable!

Comment reconnaître un patron de type meneur ?

Il est énergique, utilise des gestes impatients, est direct et va droit au but. Il peut même vous sembler froid et distant. Il domine et s'attend à des réponses rapides à ses demandes. Il parle et agit vite. Il s'habille de façon plutôt conservatrice et quelquefois audacieuse. Son ego est fort et il est axé sur les résultats. Il vous dira deux mots pour que vous puissiez rédiger un rapport de dix pages. Il démontre une assurance à toute épreuve. Il prendra plusieurs risques tout au long de sa carrière, peu importe si cela résulte en une perte d'emploi. Il est un entrepreneur hors pair, car il a beaucoup d'ambition et il peut être très persuasif. Le danger : il a tendance à prendre trop de responsabilités. Sans votre aide, il est perdu.

Comment agir avec un patron de type meneur ?

Ne laissez pas traîner les choses. Évitez les longs discours, allez droit au but. Ne prenez pas de détour pour lui demander une faveur. Ne lui faites pas perdre son temps. Pour lui, le verre est toujours plein ou à moitié plein. Il n'est jamais vide. Demandez-lui comment il arrive à de si bons résultats, comment il fait pour atteindre ses objectifs. C'est une excellente façon de flatter son ego. Occupez-vous de tous les détails à sa place, car il n'aime pas cela. Parlez-lui de lui. Une phrase type : « Patron, j'aimerais avoir votre opinion sur cette question qui m'embête. Pourriez-vous m'aider à y voir plus clair ? » Il vous répondra rapidement et impulsivement. Il appréciera votre marque de confiance.

Comment reconnaître un patron de type analytique ?

Il exige la précision et a un sens inné des détails. Il ne montre pas ou peu ses émotions. Ses décisions sont basées sur la logique. Il analyse et il agit très prudemment. Il peut vous sembler lunatique et lent. Il parle d'une voix calme et égale. Il calcule ses gestes et ses paroles. Il est méthodique et il peut exaspérer ses proches par son extrême minutie. Ses vêtements sont sobres et plutôt classiques. Il ne gesticule pas beaucoup. Il réfléchit avant d'agir et de répondre. Il est animé par les faits, les statistiques, les comparaisons, les grilles, les évaluations, les comparaisons et les détails. Le danger : les décisions se prennent trop lentement.

Comment agir avec un patron de type analytique ?

Soyez organisé. Parlez-lui de systèmes. Offrez plusieurs choix. Si vous lui demandez des vacances, offrez-lui deux ou trois possibilités. Vous le forcerez à analyser votre demande et c'est ce qu'il aime. Misez sur le long terme et l'efficacité. Pensez en termes de résolution de problèmes. Soyez patient et laissez-lui le temps de réfléchir et de penser avant de donner une décision finale. Une phrase type : « Patron, pouvez-vous me donner un moyen pour être plus efficace dans la façon dont je traite ce dossier ? Est-ce qu'il est assez détaillé ? » Il vous répondra objectivement, logiquement basé sur les faits et le résultat de son analyse.

Comment reconnaître un patron de type conciliant ?

Il est de nature plutôt réservée. Sa lenteur peut vous agacer. Il est amical, chaleureux, attentionné. Sa voix est souvent sans émotion. Ses vêtements sont conformes. Il utilise peu de gestes. Il prend son temps pour répondre ou pour s'intégrer à une conversation. Comme il souffre d'insécurité, il faut absolument minimiser les risques. Il mise sur la bonne entente entre les gens et le *statu quo*. Il est un très bon conciliateur, car il aime l'humain avant tout. Il n'aime pas le changement. Il est très serviable et dévoué tout en étant modeste et humble. Le danger : il pourra passer à côté de bonnes occasions pour éviter tout risque.

Comment agir avec un patron de type conciliant?

Sécurisez-le en lui donnant des échéanciers et des dossiers détaillés. Ne lui mettez pas de pression car il deviendra anxieux. Écoutez-le. Comme il est réfractaire aux changements, si vous lui proposez un nouvel équipement, de nouvelles méthodes de travail, sachez faire valoir les avantages d'un tel changement. Ne lésinez pas sur les détails et présentez-lui la méthodologie afin de faciliter sa prise de décision. Il ne répondra pas rapidement, il étudiera, s'informera et s'assurera qu'il ne court aucun risque. Soutenez-le dans ses démarches, il l'appréciera. Soyez patient, compréhensif et humain avant tout. Il vous aidera avec plaisir, demandez-lui car il est très généreux.

Pourquoi les gens ne se comprennent pas?

Ils n'écoutent pas. Ils ne savent pas que les gens sont différents. Ils ne se préoccupent pas de l'opinion des autres.

Comment mieux comprendre les autres?

Ne manipulez pas les gens. Soyez sincère. Pratiquez l'écoute active.

Traitez les autres comme vous aimeriez être traité

Observez le comportement des gens. Préparez vos rencontres ou vos réunions. Revoyez votre propre comportement après une rencontre,

Le comportement de l'adjointe

Une adjointe doit posséder de bonnes connaissances de base du métier. Même si elle n'a pas l'intention de changer d'emploi, elle regardera les offres d'emploi pour être à jour quant aux compétences exigées par les entreprises au fil des ans. Elle doit donc être curieuse afin de demeurer à l'écoute du marché du travail.

En plus des connaissances de base, elle se documentera et demandera à son patron de lui offrir des formations supplémentaires qui serviront à faciliter son travail tout en augmentant ses capacités. Elle sera impeccable dans une ou plusieurs langues écrites et parlées. Elle saura prendre des notes de façon efficace et rédiger des rapports ou des comptes rendus de façon organisée. Si elle doit préparer des voyages ou des réunions, elle suivra les formations offertes sur le marché. Elle s'appliquera à gérer l'horaire de son patron et à informer les gens concernés pour faciliter la communication entre les employés ou les services.

Une adjointe efficace misera sur les bonnes manières et développera les points suivants :

- Vocabulaire et communication ;
- Sens de l'accueil et enthousiasme ;
- Diplomatie et respect ;
- Écoute et observation ;
- Image professionnelle et constante ;
- Discrétion ;
- Initiative et implication ;
- Bonne humeur et sourire ;
- Sens de l'organisation, de l'analyse, de la méthode et de la gestion ;
- Esprit d'équipe ;
- Curiosité ;
- Disponibilité ;
- Sentiment d'appartenance envers l'entreprise et ses causes ;
- Efficacité.

Pour bien collaborer avec son patron, voici quelques conseils :

- Soyez claire dans vos propos et n'interprétez pas. Posez des questions.

- Soyez à l'écoute des exigences de votre poste.

- Voyez de quelle façon vos compétences pourraient apporter un plus à l'équipe.

- Chaque année, faites un bilan de vos accomplissements et de vos progrès.

- Lorsque vous aurez établi ce bilan, faites une liste des formations qui vous aideraient dans l'accomplissement de votre travail et fixez-vous des objectifs pour la prochaine année.

- Préparez à l'avance votre rencontre d'évaluation.

- Bannissez de votre vocabulaire le mot «problème», devenez créatrice de solutions.

- Osez faire des propositions qui feront évoluer votre travail ainsi que celui de votre équipe.

- Soumettez des trucs pour faire gagner du temps.

- Brisez la solitude et créez un réseau de contacts en adhérant à une association ou en participant à des activités ciblées.

Il va sans dire que ces attentes s'appliquent également aux autres employés d'une entreprise.

Apprendre à recevoir

Si le patron doit apprendre à remercier, l'adjointe doit, quant à elle, apprendre à accepter les remerciements. Contrairement à ce qu'on pourrait croire, cela n'est pas une mince tâche que d'apprendre à recevoir. Cela ne fait pas partie de nos mœurs. On nous a souvent dit: «Pour qui tu te prends?» Alors, lorsqu'on reçoit un compliment, on est porté à penser: «Bon, on m'envoie les fleurs, le pot ne tardera sûrement pas.» Apprenez à recevoir d'une façon positive.

Se faire respecter

Lorsque quelqu'un vous manque de respect, surprenez-le en démontrant une extrême politesse à son égard. Dans bien des cas, cela est désarmant et fait prendre conscience à l'individu impoli de son manque de respect ou de tact et qu'il vient de dépasser les limites.

Les 24 règles de bonne conduite au bureau

1. Soyez attentionné

Je sors d'une réunion ou je reviens de ma pause.

a) Je ris et parle fort.

b) Je baisse le ton parce que la réceptionniste est au téléphone et que mes collègues peuvent l'être également.

c) Je pense aux autres et à leur environnement.

d) Lorsque je me présente dans le bureau d'un collègue et qu'il est au téléphone, j'attends tout simplement qu'il termine son appel.

Conseils: Pensez aux autres. Si vous riez et parlez fort, vous dérangez sûrement votre entourage. Que ce soit la réceptionniste, la préposée à l'accueil, les visiteurs, vos collègues immédiats, souvenez-vous que le bruit dérange. Lorsque vous vous présentez dans le bureau d'un collègue et qu'il est au téléphone, n'attendez pas qu'il termine son appel, sortez et revenez plus tard. Pourquoi? Parce que votre intrusion le dérange et que cela s'entend au téléphone. L'interlocuteur sent qu'il perd l'écoute. Si un intrus se présente dans votre bureau et que vous êtes au téléphone, utilisez le langage signé pour lui faire comprendre qu'il peut attendre en lui faisant le signe «un instant» ou encore le signe «revenez» en lui mimant que cela peut être long. S'il ne comprend pas votre signe, mettez votre interlocuteur en mode garde et dites à votre collègue: «Me permettez-vous de terminer mon appel? Je vous appellerai lorsque j'aurai terminé.»

2. Considérez les autres

a) Je donne toujours la main aux visiteurs à l'arrivée et au départ.
b) Je salue mes collègues à l'arrivée et au départ.
b) Je me présente moi-même en dépit du fait que je suis gêné.
c) Je fais la conversation aux visiteurs.
d) J'aime faciliter les rapports entre individus.

Conseils: Les cadres, les gestionnaires ou les professionnels donnent la main facilement. Les adjointes, quant à elles, se demandent si elles doivent le faire. Osez le faire! Vous êtes le bras droit de votre patron, montrez que vous avez de la classe et que vous connaissez les règles des bonnes manières. Saluez vos collègues à l'arrivée et au départ. Pourquoi? D'abord parce que c'est chaleureux, puis parce que cela laisse une bonne impression aux visiteurs. J'ai trop souvent vu des employés arriver le matin sans saluer la réceptionniste. Demandez-vous ceci: «Que pense le visiteur qui attend dans la salle d'attente de mon entreprise lorsqu'un employé agit ainsi?» Il importe de laisser une impression positive aux gens qui nous visitent et puis, quelle belle façon de commencer ou de terminer la journée! Ne soyez pas gêné, allez vers les gens. Apprenez à les aimer et on vous le rendra bien. Si un visiteur attend dans votre bureau, faites-lui la conversation pendant un court moment, puis dites-lui ceci: «Me permettez-vous de continuer mon travail?» Je ne pense pas qu'on vous refuse cette permission.

3. Ne portez pas de préjugés

a) J'attends de connaître les faits et les gens avant d'émettre un jugement.
b) J'aime me moquer des visiteurs, des collègues, des directeurs pour faire comme les autres.
c) Je suis à l'aise et je rends les autres à l'aise.

Conseils: Souvent, on émet un jugement trop rapidement en ce qui concerne un collègue, un nouveau venu au sein de l'équipe ou un visiteur. Pourquoi ne pas attendre avant de se faire une opinion ? Parfois, on a une première impression qui se transforme à mesure que les jours passent et qu'on connaît mieux l'individu. Si vous avez une impression négative, gardez-la pour vous. Le temps se chargera de vous donner raison ou non. Ne vous moquez pas de ceux qui vous entourent, peu importe leur niveau hiérarchique. Le poste de la réceptionniste, les alentours du photocopieur ou de la machine à café ne devraient pas être les centres de potins et de moqueries. Aidez plutôt les nouveaux venus en étant à l'aise avec eux et en les rendant à l'aise. N'agissez pas comme un juge. D'ailleurs, que penseront les visiteurs de votre entreprise lorsqu'ils entendront ces moqueries ? Il est quelquefois souhaitable de transformer l'aire de réception pour que la réceptionniste ne soit pas trop dérangée dans son travail. Elle doit être à l'écoute des gens qui appellent ou qui visitent l'entreprise. C'est son rôle premier.

4. Écoutez

a) Je suis toujours heureux de répondre à un appel.
b) Je n'ai aucune difficulté à passer en mode écoute.
c) Je ne montre jamais que les interruptions me dérangent.

Conseils : Le téléphone, c'est ce qui me permet d'avoir un contact avec l'extérieur. J'aime les gens et je suis heureux de leur répondre. C'est sûr que les sonneries me distraient de mon travail, mais nul ne s'en rendra compte. La personne qui prend la peine de téléphoner vaut la peine que je m'en occupe poliment. Je prends le temps et je renseigne bien les gens. Je les dirige vers le bon service et j'ai à cœur qu'ils soient satisfaits de moi. Je sais les écouter. Cela ne signifie pas que l'appel doit s'éterniser. Je sais bien résumer une conversation pour mettre fin à l'appel tout en restant poli et courtois. Après tout, je parle au nom de l'entreprise.

5. Intégrez-vous

a) J'aime travailler en équipe.

b) Je m'intègre facilement à un groupe et j'aide les nouveaux venus à le faire.

c) J'aime participer à l'organisation des fêtes.

Conseils: J'aime travailler en équipe et je fais ma part dans l'équipe. Je ne laisse pas tout le travail aux autres. Je participe et j'aide les nouveaux collègues à s'intégrer dans mon groupe et je fuis les clans. Je suis serviable. Pour s'intégrer, il faut non seulement travailler aux préparatifs d'un événement, mais aussi y participer. Si vous ne participez pas à la partie de golf annuelle ou au *party* des fêtes, vous n'êtes pas une personne d'équipe. Une équipe est soudée au travail et dans les loisirs. Les gens se sentent acceptés s'ils sont traités avec courtoisie, si on les écoute et si on les invite à s'exprimer. Cela renforce le sentiment de confiance en soi.

6. Soyez gentil

a) Je prends le temps d'indiquer le trajet aux visiteurs.

b) J'accueille le visiteur avec un sourire.

c) Je raccompagne le visiteur après sa visite et je le remercie.

Conseils: Le mot «gentil» ne signifie surtout pas qu'on doit se laisser marcher sur les pieds. Cela signifie être agréable et avoir le goût de faire plaisir aux autres, de rendre service. Lorsque je parle à une personne qui se présente à nos bureaux pour la première fois, je prends le temps de lui indiquer le trajet. Je l'accueille comme si je l'avais invitée à la maison. Je suis poli et je m'occupe de son bien-être de l'arrivée au départ. Je la raccompagne, je la remercie de sa visite et je lui serre la main chaleureusement.

7. Ne potinez pas

a) Je garde mon potinage pour le temps des pauses.
b) Je ne donne jamais d'opinions personnelles devant les visiteurs ou par courriel.
c) Lorsque les collègues veulent potiner, je dévie la conversation.

Conseils : Qui n'aime pas les potins ? Tout le monde aime ça. Pensez-vous que c'est approprié de potiner devant les visiteurs et même devant ses collègues ? On ne sait jamais comment cela sera interprété et il y a toujours une personne qui connaît quelqu'un. On dit que le monde est petit, c'est vrai, et bien souvent on peut se mettre dans l'embarras pour rien. Évitez également d'émettre des opinions politiques, racistes ou autres. Cela est très personnel et si on se tait, on ne risque pas de déplaire. Déviez la conversation, si celle-ci devient trop ambiguë.

8. Acceptez et offrez des compliments

a) J'ai beaucoup de difficulté à accepter un compliment.
b) Je me demande toujours quand le pot arrivera.
c) J'offre des compliments sincères, sinon je me tais.

Conseils : Ce n'est pas donné à tous d'accepter ou d'offrir des compliments honnêtes. Dites-vous que vous avez le droit de recevoir des compliments et c'est en apprenant à en recevoir, sans penser que le pire s'en vient, que vous apprenez aussi à en donner. Soyez honnête lorsque vous offrez des compliments. Prenez le temps de vous arrêter pour le dire, ne dites pas un compliment en passant et en tournant le dos. Regardez la personne dans les yeux, sinon taisez-vous.

9. Respectez les gens qui vous disent non

a) J'ai beaucoup de difficulté à accepter un non.
b) Je sens le rejet.
c) Je pense que j'ai mal présenté ma demande et je formule ma demande à nouveau.

Conseils: Vous pensez avoir l'idée du siècle pour le travail. Vous la partagez avec l'équipe. Quelqu'un s'y oppose. Dites-vous que tous ne sont pas tenus à avoir les mêmes opinions que vous. Demandez-vous si vous avez bien vendu ou défendu votre idée. Il est évident que l'autre personne n'a pas bien compris ou tout simplement qu'elle n'est pas d'accord et c'est son droit de le dire. Quant à vous, acceptez ce refus et admettez que tous les gens n'ont pas la diplomatie de repousser une idée. Si vous y tenez tant que cela, travaillez-la, demandez à la personne qui s'y oppose pourquoi il en est ainsi et présentez votre idée à nouveau. Si vous êtes convaincu, ne vous laissez pas abattre par le premier venu. Ce n'est pas facile à maîtriser, je l'avoue, mais le jeu en vaut la chandelle. Vous sortirez de ces situations la tête haute et vous serez fier de vous.

10. Respectez l'opinion des autres

a) J'ai pour principe que mon opinion jumelée à celle d'un autre peut donner de bons résultats.
b) Il n'y a que mon opinion qui compte.
c) Si mon opinion n'est pas retenue, je claque la porte et je sors.

Conseils: Si vous voulez qu'on vous écoute et qu'on respecte vos idées, soyez à l'écoute des idées des autres. Il est possible que votre idée jumelée à celle d'un collègue donnera d'excellents résultats. Pourquoi vous en priver? Les autres ont droit à leurs opinions. Si vous êtes cette personne superémotive qui claque les portes, on n'aimera pas travailler en équipe avec vous. Vos collègues seront même surpris le jour où vous ne réagirez pas outre mesure. Soyez franc, dites à un collègue que vous appréciez sa participation, que son idée est bonne et que cela vaut la peine qu'elle soit peaufinée. Ou encore, ne soyez pas gêné pour dire que son idée n'est pas retenue cette fois-ci et expliquez pourquoi il en est ainsi.

11. Soyez respectueux de votre image

a) Je représente bien mon employeur en tout temps.

b) Je pourrais me forcer un peu plus.

c) J'envoie des écrits impeccables.

d) Je soigne mon langage.

Conseils: Vous représentez votre employeur au travail, dans vos loisirs et en famille. Vos proches savent où vous travaillez. Vos voisins le savent sans doute et les clients que vous risquez de rencontrer lorsque vous faites votre magasinage de fin de semaine le savent également. Vous y pensez sans doute lorsque vous vous rendez au travail le matin. Il importe aussi de vous forcer un peu lorsque vous êtes à l'extérieur des lieux du travail. Soignez votre langage, ne criez pas après les enfants, soyez la même personne soucieuse de son image que ce soit le jour, le soir, la fin de semaine, pendant les vacances et dans les loisirs.

12. Soyez agréable

a) Je remercie les gens de leur visite après une réunion.

b) Je remercie les gens de leur appel.

c) Je remercie mon directeur d'une faveur accordée.

d) Je remercie un collègue qui m'a rendu service.

e) Je prends le temps d'indiquer le trajet aux nouveaux visiteurs.

Conseils: «Merci» est l'un des premiers mots que nos parents nous montrent. Ce même merci, nous l'avons oublié. Pourtant, cela ne coûte rien de le dire. Un merci bien senti en regardant les gens dans les yeux a une valeur inestimable. Soyez agréable envers les autres. Prenez le temps de leur expliquer un travail, un trajet, une politique, la mission de l'entreprise. Faites en sorte que les gens aimeront travailler pour ou avec vous. Cela rend la vie tellement plus agréable. Arrangez-vous pour avoir hâte au lundi matin (oui, c'est possible). Combien de personnes anticipent le retour au travail et sont malheureuses dès le dimanche?

C'est permis d'aimer le vendredi et c'est aussi permis d'aimer le lundi.

13. Soyez modeste

a) Je ne me vante pas de mes derniers achats.
b) Je ne me vante pas de ma dernière promotion.
c) Je n'exagère en rien.

Conseils: Les gens n'aiment pas les vantards. Soyez humble et modeste. Les grands de ce monde, les vrais, ne se vantent pas. Ils sont qui ils sont sans ennuyer le monde avec des détails. Je connais des gens qui ont toujours mieux, qui ont fait un meilleur achat, qui ont payé moins cher, qui ont obtenu de meilleures conditions. Soyez heureux pour eux tout simplement. Si vous grattez un peu, vous trouverez que ce n'est pas si merveilleux que ça, la fanfaronnade. Pourquoi chercher à impressionner ou à intimider? Ne soyez pas envieux des autres. Laissez-les dire!

14. Respectez le temps des autres

a) J'informe la réceptionniste des visites attendues dans la journée.
b) Je suis parfaitement au courant de l'horaire de mon patron.
c) Je suis consciente que je dois travailler en équipe avec mon supérieur et les préposés à l'accueil.

Conseils: «Il est impossible de bien gérer son temps si on ne peut dire à ses collègues ce qu'on a sur le cœur.» (Scott Adams, *Le principe de Dilbert*.) Je trouve cette citation très vraie. Comment pouvez-vous exécuter votre travail en toute quiétude si vous avez quelque chose sur le cœur? Cette amertume vous dérange et nuit à l'accomplissement de votre travail. C'est ce qui fait qu'on aime moins son travail, qu'on néglige certains aspects, qu'on laisse traîner les choses, que les lundis matin arrivent trop vite. Videz la question, parlez à ce collègue. Vous vous sentirez tellement plus léger. Ne soyez pas brusque. Dites-le d'une façon gentille, courtoise et polie. Si les autres vous manquent de politesse, dites-vous que vous avez fait de votre mieux et vous vous sentirez mieux.

15. Respectez l'espace des autres

a) Je prêche par l'exemple, mon bureau est toujours à l'ordre.
b) Je n'envahis pas l'espace de mes collègues.
c) Je m'en tiens aux faits et je libère l'espace rapidement.

Conseils : Avant de vous plaindre de l'attitude de vos collègues, pourquoi ne pas prendre quelques minutes pour évaluer votre propre comportement ? Dans le feu de l'action, comment vous comportez-vous ? Êtes-vous du type envahissant ? Faites-vous perdre le temps de vos collègues en leur racontant vos fins de semaine ? Est-ce que vous vous permettez d'entrer dans l'espace de travail de vos collègues sans en avoir obtenu la permission ? Si on agit de cette façon envers vous, ne l'avez-vous pas cherché ? Un petit peu, un peu et beaucoup. Posez-vous donc la question.

16. Admettez vos erreurs

a) Je n'ai jamais tort.
b) J'accepte difficilement d'admettre mes erreurs.
c) Les erreurs me permettent de m'améliorer.

Conseils : L'humilité devrait être au cœur de votre vie. Apprenez à admettre vos erreurs même si vous avez de la difficulté à le faire. Prenez les erreurs comme une façon très positive de vous améliorer. Il vaut mieux essayer que de ne rien faire.

Ne jouez pas à prendre les autres en faute et ainsi de leur faire perdre la face. Si vous le faites aux autres, on prendra un malin plaisir à agir de la même façon envers vous.

17. Affirmez-vous

a) J'impose le respect des autres par mon image, mon comportement, mes paroles.

b) J'ai de la difficulté à m'affirmer.

c) J'ai peur de déranger.

Conseils : Voici ce qu'a déjà dit Eleonore Roosevelt : « Nul ne me fera sentir mon infériorité sans mon consentement. » Cette citation, j'en ai fait mon leitmotiv. Je pense que le premier conseil serait d'apprendre à vous aimer pour réussir votre vie. Arrêtez de vous dénigrer. Comment voulez-vous que les gens vous aiment si vous ne vous aimez pas ? Essayez de comprendre vos agissements devant une situation. La première chose à faire est d'en être conscient. Prenez votre place. Choisissez des mots polis, mettez votre gêne de côté. Dites-vous que tout le monde est gêné jusqu'à un certain degré. Foncez en étant conscient de vos capacités. Vous n'y arriverez pas si vous ne faites pas d'efforts pour y parvenir.

18. Évitez les conversations trop intimes

a) Je suis comme un livre ouvert, je raconte tout.

b) Je choisis les gens à qui je raconte ma vie privée.

c) Ma vie privée, c'est ma vie privée.

Conseils : Il vaut mieux garder une petite gêne et ne pas raconter tout sur notre vie personnelle. Cela pourrait se tourner contre vous un jour ou l'autre. Il y a la vie professionnelle et la vie personnelle. Apprenez à faire la distinction entre les deux. Ne laissez pas les gens faire intrusion dans votre vie privée. Si vous voulez vous confier, choisissez les gens en qui vous mettrez votre confiance, mais en dehors du bureau.

19. Soyez discret

a) Lorsque je suis au restaurant avec des amis ou des collègues, je ne nomme jamais personne (membre, client, directeur ou collègue) lorsque je raconte un fait.

b) Je reste toujours positif dans mes propos, c'est moins dangereux.

c) Si un collègue s'échappe, je dévie la conversation.

Conseils : La discrétion deviendra votre meilleure alliée. Ne nommez jamais le nom de clients, de fournisseurs ou de collègues lorsque vous êtes en public et que vous jasez entre amis. On ne sait jamais quelles oreilles entendront vos commentaires. Lorsque vous êtes dans un lieu public (restaurant, épicerie, ascenseur, métro ou autobus), méfiez-vous. Ne soyez jamais négatif envers une personne, un projet ou une situation. Restez positif. Si un collègue nomme une personne par mégarde, déviez la conversation et expliquez-lui pourquoi par la suite.

20. Pensez-y à deux fois avant de demander une faveur

a) Avant de demander une faveur, j'analyse les conséquences.

b) Je sais comment présenter ma demande.

c) Je le fais seulement lorsque je n'ai pas d'autre choix.

Conseils : Préparez-vous avant de demander une faveur. Analysez les conséquences. Est-ce que votre demande est raisonnable ? Mettra-t-elle vos collègues dans l'embarras ? Est-ce que cela causera un surplus de travail au sein de l'équipe ? Est-ce qu'un autre moment pourrait être plus convenable pour vous absenter du bureau ? Si un collègue désire prendre ses vacances en même temps que vous et que cela mettra tout le service dans une mauvaise situation, parlez avec ce collègue et faites des compromis. N'agissez pas seulement dans l'intention d'embarrasser quelqu'un. Parlez-vous et réglez la situation pour qu'au retour des vacances, la situation soit agréable au travail.

21. Ne vous plaignez pas

a) Je suis positif en tout temps.
b) J'ai la capacité de tourner le négatif en positif.
c) Lorsque j'ai une plainte à formuler, je m'assure de son fondement.

Conseils : Les gens n'aiment pas s'entourer de vantards ou de pleurnichards. Efforcez-vous de voir du positif dans toutes les situations. Si vous trouvez que les gens vous fuient, regardez-vous agir et cessez de vous plaindre. En demeurant positif et enthousiaste, vous verrez les gens vous entourer et aimer votre compagnie.

22. Acceptez les critiques constructives et apprenez à en donner

a) J'accepte les critiques bonnes ou mauvaises.
b) Je me dis que cela m'aide à m'améliorer.
c) Je ne dors pas et cela m'énerve ; je suis stressé.

Conseils : Certaines personnes critiquent les autres pour critiquer, simplement. Vous apprendrez à les reconnaître et leurs critiques, après quelque temps, ne vous toucheront plus, car vous réaliserez bien vite que cela fait partie de leur mode de vie. Par contre, les vraies critiques sont constructives. C'est, dans bien des cas, ce genre de critiques qui nous permettent de ne pas reproduire les mêmes erreurs. Si vous avez des critiques à exprimer à l'occasion, faites-le mais avec tact et diplomatie. Pensez à la dernière fois qu'on vous a dit une critique et la façon avec laquelle on l'a fait. Si c'était destructeur, n'utilisez surtout pas la même méthode. Si c'était positif, analysez la façon dont on s'y est pris et répétez la même technique à votre tour.

23. Ne blâmez pas les autres

a) Avant de jeter le blâme sur quelqu'un d'autre, j'analyse la situation.
b) Ce n'est pas de ma faute. Point final.
c) J'aurais pu faire mieux personnellement.

Conseils : Prouvez qu'on peut commettre une erreur involontairement et avouez que c'est ce qui s'est passé. Si votre supérieur provoque la crainte de l'erreur, il suscite le mensonge et le blocage de la créativité. Admettez votre erreur simplement sans accabler les autres. Montrez que vous êtes une personne responsable en exprimant vos sentiments. Soyez honnête dans vos propos. Analysez plutôt ce qui vous y a conduit et proposez-vous de ne plus recommencer ce même type d'erreur.

24. Ne déléguez pas les responsabilités pour vous en débarrasser

a) Je ne peux pas déléguer.
b) Je ne me fie pas aux autres.
c) Je délègue sans jugement.

Conseils : Combien de fois a-t-on refilé à un collègue une partie de notre travail qui nous ennuie ? Si vous me dites que cela ne s'est jamais produit, vous méritez un trophée. Peut-être êtes-vous de ceux qui ne peuvent pas déléguer. Beaucoup de personnes ne veulent pas déléguer pour toutes sortes de raisons : peur de perdre son travail, perfectionnisme, manque de confiance envers les autres... Apprenez à faire confiance. Prenez le temps d'expliquer le travail. Si celui-ci n'est pas tel que vous l'auriez fait vous-même, ce n'est pas si grave que ça. C'est le résultat final qui compte. Les gens se sentent valorisés et stimulés lorsque vous leur confiez des tâches intéressantes.

Le comportement lors de réunions

Les devoirs des gens de l'interne

Si vous recevez des visiteurs, il serait de mise d'avoir une ou deux personnes de l'interne dans la salle de réunion pour accueillir les invités.

Assurez-vous que la salle de réunion est propre et accueillante, que les tableaux ont été effacés, que l'air climatisé est bien réglé, que la table est propre et que les vestiges de la réunion précédente ont été enlevés.

Il doit y avoir une chaise par personne ; les chaises inutiles sont placées contre les murs.

Accueillez les gens avec une bonne poignée de main. Faites les présentations. Assignez les places ou laissez les gens libres de s'asseoir où ils le désirent. Donnez des consignes claires.

Ne quittez pas la salle tant et aussi longtemps qu'il y a des visiteurs dans la salle de réunion.

Nommez des personnes qui seront responsables du départ pour donner la main aux participants et pour les remercier du temps qu'ils vous ont accordé. Accompagnez les visiteurs jusqu'à la sortie. Offrez-leur de leur appeler un taxi.

N'oubliez pas que l'accueil est important et que l'attitude au départ est déterminante. On se souviendra des dernières minutes passées en votre compagnie.

Que diriez-vous si vous invitez des amis à la maison et que lorsque vous vous sentez fatigué, vous leur dites : « Moi, je vais me coucher. Voulez-vous éteindre la lumière en partant ? » Ridicule, me dites-vous et vous avez raison. Malheureusement, on le voit trop souvent dans nos entreprises. Les gens sont pressés de se rendre à leur bureau pour prendre leurs messages ou lire leurs courriels. N'oubliez pas l'être humain d'abord.

Les devoirs des invités

Si on ne vous présente pas, faites-le vous-même. Attendez qu'on vous assigne un siège. Déposez vos objets à l'endroit prévu. Restez debout tant que la personne qui dirige l'assemblée n'est pas arrivée. Socialisez. Faites connaissance avec les participants.

Si vous arrivez en retard, vous n'avez pas à déranger les participants. Prenez place discrètement. Vous n'avez pas non plus à donner d'excuse. Si vous devez partir avant la fin, mentionnez-le à la personne qui dirige l'assemblée en arrivant à la réunion. Lorsque vous partez, ne dérangez pas vos voisins. Vous n'avez pas d'explications à donner. Partez discrètement.

Remerciez les gens qui ont organisé la réunion. Si vous voulez prendre la parole, levez la main. Ne laissez aucun objet sur la table, à part les papiers nécessaires à la prise de notes ou les documents remis par l'entreprise.

Fermez vos cellulaires et terminaux de poche (BlackBerry). Ne lisez pas et ne répondez pas à vos courriels pendant une réunion.

Si, par malchance, vous avez oublié de fermer votre cellulaire et qu'il sonne, fermez le son sur-le-champ. Ne prenez pas vos messages pendant que l'orateur parle. Sortez pour prendre vos messages, profitez de la pause.

Jetez vos tasses ou vos déchets avant de partir. Nettoyez votre espace. Replacez votre chaise comme elle était à l'arrivée.

Apportez les documents qu'on vous a remis. Ne les laissez pas sur la table en signe de désintéressement. Ne parlez pas entre participants. Faites vos commentaires seulement lorsqu'on vous les demande. Écoutez.

L'accueil en personne

*L'éducation consiste à nous donner des idées,
et la bonne éducation à les mettre en proportion.*

Montesquieu

Le portrait du bureau idéal

Pour le patron

Il importe que votre adjointe soit parfaitement au courant de votre horaire et de celui des gens qui composent votre équipe.

Pourquoi est-ce si important? Parce que cela lui permettra, chaque jour, d'informer la réceptionniste des gens qui sont attendus au cours de la journée pour vous visiter.

De cette façon, lorsqu'un visiteur se présente, la réceptionniste est au courant de la visite attendue. Elle accueille le visiteur de cette façon et avec le sourire: «Bonjour, Monsieur le Visiteur, Monsieur le Patron vous attend. Permettez-moi d'informer son adjointe de votre arrivée!» Quel accueil chaleureux!

J'ai souvent entendu ces phrases: «Nicole, il y a quelqu'un à la réception pour ton patron», «Il y a une petite madame pour toi à la réception», ou encore «Ton rendez-vous de 10 heures est arrivé.» Cette façon de parler est désastreuse. Nommez le visiteur lorsque vous appelez l'adjointe. Dites au visiteur qu'il est attendu.

La pire situation serait que la réceptionniste, qui n'est pas au courant de la venue d'un visiteur, demande ceci : « Aviez-vous rendez-vous ? » Quel accueil désastreux !

Ne tenez pas pour acquis que vos employés savent bien traiter les gens. Votre collaboration est importante et votre rôle de gestionnaire consiste à bien informer vos employés. Communiquez vos attentes avec confiance !

S'il s'agit d'une première visite, la réceptionniste demandera au visiteur : « Puis-je vous demander votre carte professionnelle ? » (Afin de s'assurer qu'elle a bien compris le nom du visiteur et qu'elle annoncera son arrivée en prononçant correctement son nom.) Il n'y a rien de plus doux à l'oreille d'une personne que d'entendre son nom bien prononcé.

Lorsque l'adjointe se présente, la réceptionniste lui remet la carte professionnelle du visiteur (pour la même raison). L'adjointe se présente et accueille le visiteur en disant : « Bonjour, Monsieur le Visiteur, je m'appelle (prénom et nom), l'adjointe de Monsieur le Patron. Il vous attend. Si vous voulez me suivre. » Elle le précède. Quel accueil chaleureux ! L'adjointe continue ainsi le bon travail amorcé par la réceptionniste.

Au départ, le patron accompagne lui-même le visiteur vers la sortie et le remercie de sa visite. Démontrez un intérêt en raccompagnant vous-même l'invité. Cela est toujours très apprécié de la part des gens. Ils se sentent importants. Comme on se souvient des dernières minutes d'une rencontre, il vaut la peine d'investir son temps au bon moment : à l'arrivée et au départ.

Cette complicité devrait exister entre les réceptionnistes, les adjointes et les gestionnaires. Cela facilite la vie de tous et contribue à rehausser l'image de l'entreprise.

Autre situation idéale

Chaque employé qui est appelé à sortir du bureau informe la réceptionniste de son départ et de l'heure prévue du retour.

Ainsi, lorsque la réceptionniste reçoit un appel, elle sait quoi répondre sans faire attendre l'appelant et sans effectuer de transferts ou sans créer de pertes de temps inutiles. Saviez-vous que seulement 25 % des appels sont réglés lors d'un premier essai? Pourquoi? Parce que le travail est mal fait. Si les gens doivent vous appeler plusieurs fois avant de trouver des réponses à leurs questions, ils monopoliseront votre temps et votre énergie. On se crée inutilement un surplus de travail. Trouvez-vous que c'est nécessaire?

Cette complicité entre les réceptionnistes, les employés et les gestionnaires démontre un sens de l'organisation à toute épreuve et, surtout, un travail d'équipe qui a le souci de plaire aux gens.

Pour la réceptionniste

Le rôle de la réceptionniste est important. Elle est la première personne qu'on aperçoit en arrivant au bureau. C'est son attitude qui permet aux visiteurs de se faire rapidement une opinion sur le type d'entreprise qu'ils visitent. Même si le gestionnaire est d'accord en principe avec cet énoncé, il ne semble pas s'en soucier outre mesure. La réceptionniste se sent souvent isolée, à l'écart des autres employés, et elle en souffre. Son travail n'est pas moins important que celui du gestionnaire. Bien au contraire, il doit être reconnu à sa juste valeur.

La réceptionniste doit se montrer disponible, aimable et accueillante. Il lui importe d'apprendre le langage des signes pour signaler au visiteur qu'elle est au téléphone, qu'elle termine sa conversation dans un moment, qu'elle désire que la personne se dirige vers elle ou qu'elle prenne un siège. Elle doit être dynamique et souriante tant au téléphone que lorsque les visiteurs se présentent devant elle.

Elle ne doit pas être timide. Elle doit demander les informations pertinentes qui lui permettront de bien diriger le visiteur.

Les collègues, les patrons et les employés doivent respecter son lieu de travail et éviter tous les bruits ou toutes les conversations qui pourraient nuire à son travail. Laissez-la faire son travail en toute tranquillité. Son environnement n'est pas l'endroit idéal pour discuter des derniers potins internes ou encore du dernier téléroman. Cela ne veut pas dire de l'ignorer ; bien au contraire, saluez-la matin et soir.

Chères réceptionnistes, reportez-vous au chapitre concernant l'étiquette téléphonique, apprenez-le par cœur, surtout les mots du vocabulaire positif. Cela fera toute la différence dans l'accomplissement de votre travail et vous en serez plus heureuses.

Pour l'adjointe

Ne laissez pas attendre le visiteur. Cela irrite les gens d'avoir à attendre plus de 10 minutes (maximum). Cela dénote aussi un manque d'organisation. Présentez-vous à la réception avec le sourire.

Lorsque vous accueillez un visiteur pour la première fois, présentez-vous immédiatement: «Bonjour, je m'appelle (votre nom), l'adjointe de Monsieur le Patron. Puis-je vous demander votre carte professionnelle ? Voulez-vous m'accompagner ? Monsieur le Patron vous attend dans son bureau.» (Dans le cas où la réceptionniste n'a pas demandé la carte au visiteur.)

Lorsque vous accueillez un invité que vous avez déjà rencontré, soyez tout aussi chaleureuse. «Bonjour, Monsieur (son nom). Cela me fait plaisir de vous revoir. Voulez-vous me suivre ? Monsieur le Patron vous attend.»

Escortez l'invité jusqu'à l'endroit où se passe la réunion. Ouvrez les portes et précédez-le. S'il s'agit d'une première visite, servez-vous de la carte professionnelle qui vous a été remise pour faire les présentations. Vous direz: «Monsieur le Visiteur, je vous présente Monsieur le Patron.» Pourquoi nommer le

visiteur en premier lieu? Parce qu'en affaires, la priorité est donnée aux visiteurs: les clients, les vendeurs, etc. Ensuite, déposez la carte bien en vue sur le bureau du patron.

Si votre patron n'est pas prêt à recevoir l'invité, avertissez
ce dernier du retard. Offrez-lui une boisson, ou encore les documents pertinents à la rencontre ou les plus récents magazines
d'affaires.

Vous vous demandez quoi dire à la personne qui attend dans
votre bureau. Devez-vous entretenir une conversation? Vous
vous sentez malheureuse, car vous voyez la pile de travail qui
vous attend. Vous ne savez pas comment agir.

Si le retard se prolonge, ne paniquez pas et continuez votre
travail. Il y a une façon diplomatique de dire les choses qui est
beaucoup mieux que d'ignorer la présence qui vous dérange.
Utilisez les mots qui conviennent à la circonstance. Dites tout
simplement: «Permettez-moi de continuer mon travail» et
faites-le jusqu'au moment où le patron se libérera.

En présence d'un visiteur, soyez discrète surtout lors de vos
conversations téléphoniques. Si vous devez donner des informations de nature confidentielle au téléphone, prenez plutôt
les coordonnées et rappelez lorsque le visiteur sera parti. Cachez
ces mêmes informations qui pourraient se trouver sur votre
bureau ou qui seraient visibles sur votre écran d'ordinateur. Un
autre conseil, ne sortez pas de votre bureau.

Une fois que le visiteur est entré dans le bureau du patron,
évitez de les déranger. Le téléphone ne doit pas sonner pendant
une rencontre d'affaires. Il vaudra peut-être mieux effectuer un
renvoi d'appel. N'acceptez pas non plus qu'un collègue entre
dans le bureau de votre patron en prétextant avoir besoin d'une
information rapide.

Après la rencontre, raccompagnez l'invité jusqu'à la sortie
et remerciez-le de sa visite.

Vous pouvez lui demander s'il a besoin d'un taxi. Donnez-lui la main fermement en le regardant dans les yeux. Assurez-vous que vos gestes démontrent de l'appréciation. La situation idéale, c'est que le patron s'occupe lui-même de ses invités à l'accueil et au départ, mais ce n'est pas toujours possible.

***

Il est doux à l'oreille d'entendre quelqu'un prononcer notre nom. Toutefois, certaines personnes trouvent difficile d'avoir à se souvenir d'un nom lors d'une présentation. Bien souvent, par gêne ou par timidité, on n'ose pas le faire répéter ou demander de l'épeler. Cela cause un malaise qui se répercute sur notre comportement. Le but de la pratique des règles d'étiquette est de se sentir à l'aise en société et de voir à ce que les gens que nous fréquentons le soient également.

Conseils

- Lorsque vous rencontrez une personne, mentionnez son nom une ou deux fois lors de la conversation.

- Si vous ne comprenez pas son nom lors des présentations, demandez-lui de le répéter. Elle sera flattée de l'importance que vous lui portez.

- Vous pouvez demander à la personne d'épeler son nom pour vous. De cette façon, vous le mémoriserez plus facilement.

- Si, après quelques tentatives, vous n'avez toujours pas saisi son nom, demandez-lui sa carte professionnelle et offrez la vôtre en retour. Lorsque vous verrez le nom écrit, ce sera plus facile de vous en souvenir.

- Lorsque vous rencontrez quelqu'un que vous avez déjà rencontré et dont vous avez oublié le nom, dites quelque chose comme: «Je me souviens de vous avoir rencontré lors d'un événement, pourriez-vous me rappeler votre nom.»

- Certaines personnes utilisent l'association d'idées. Si le nom d'une personne est Louise Lafleur, elle aura l'image d'une fleur en tête. Ce truc est plutôt risqué, car cela nécessite une très bonne mémoire.

Voici un fait vécu. Il y a quelques mois, je reçois un appel d'une employée d'une grande entreprise qui manifeste le désir de tenir un atelier de formation à ses bureaux pour le personnel. Tout au long de la conversation, je présume qu'il s'agit de son propre désir et que c'est elle qui prendra une décision. Elle me demande donc de la rencontrer pour en discuter davantage et nous fixons un rendez-vous. Lorsque je me présente à la réception de l'entreprise, je demande le nom de la personne qui m'a contactée. À ma grande surprise, ce n'est pas cette même personne qui m'accueille, mais sa supérieure accompagnée d'un autre gestionnaire. Mesdames les adjointes, lorsque vous appelez au nom de votre patron, soyez claire et précise. Cette personne aurait dû mentionner qu'elle appelait au nom de son patron et que c'était celui-ci qui désirait me rencontrer. Il aurait été préférable qu'elle me dise : « J'appelle au nom de ma supérieure. Elle aimerait vous rencontrer pour discuter de l'éventualité d'une présentation à un groupe de directeurs sur l'étiquette en affaires. Lors de votre arrivée, demandez mon nom et j'irai vous accueillir pour vous présenter ma supérieure. Elle sera sans doute accompagnée d'un autre gestionnaire lors de la réunion. »

Cela aurait évité l'effet de surprise ainsi que l'impression du manque d'organisation dans cette entreprise dite de prestige. Cela m'aurait permis également de préparer deux dossiers plutôt qu'un pour faire ma présentation.

Depuis ce temps, je pose plus de questions lorsque quelqu'un me propose une rencontre, comme : « Est-ce que vous serez présente à la réunion ? » « Est-ce que quelqu'un d'autre assistera à la rencontre ? »

De cette façon, j'arrive bien préparée pour la rencontre et tout le monde est heureux.

L'étiquette au téléphone

*Le téléphone est la pire des commodités
et le plus pratique des fléaux.*

Robert Staughton Lynd

La qualité de la voix

Albert Mehrabian, psychologue américain, estime que l'impression laissée par un message dépend à 38 % de l'intonation, à 55 % du langage corporel (gestes, attitude, comportement, expression, etc.) et à 7 % du vocabulaire.

Lorsque vous répondez au téléphone, seuls l'intonation et le vocabulaire s'entendent. Il importe donc de connaître la qualité de sa voix et de l'utiliser au maximum. En plus de bien la connaître, le choix des mots et le vocabulaire constituent un outil de communication supplémentaire.

Comme le démontrent les chiffres, le ton de la voix a plus d'impact que les mots utilisés. La voix possède donc un pouvoir indéniable. C'est avec elle que vous communiquez. Il faudrait pouvoir utiliser cette puissance à son maximum. Au téléphone, votre interlocuteur ne se base que sur votre langage et sur la tonalité de votre voix. C'est cette dernière qui transmet le degré d'énergie, la passion pour son travail et son niveau de conviction.

L'intonation

Le *Petit Larousse* explique l'intonation comme l'inflexion que prend la voix. L'inflexion est décrite comme un changement d'accent ou d'intonation. Ce changement prévient la monotonie. Souvent, on nous dit: «Vous avez une belle voix», «Votre voix est chaleureuse», «Vous semblez être une personne dynamique» ou «Vous avez une voix jeune.» Tout cela dépend de la qualité de la voix. Faites l'effort de vous enregistrer et de vous évaluer. Demandez aux gens ce qu'ils en pensent. Apprenez à parler avec conviction. Êtes-vous heureux de servir la clientèle? Un manque de conviction dans votre voix se traduira par un manque de confiance de la part des gens à qui vous parlez.

Le débit

Quelle impression donne une personne qui parle trop vite ou pas assez? Si on veut être entendu, il faudra parler deux fois moins vite que d'habitude, ralentir le débit et bien articuler. Parlez clairement lorsque vous laissez un message dans une boîte vocale. Les gens sont plus à l'écoute le matin et sont plus fatigués en fin de journée. Ajustez le débit de votre voix en fonction de l'heure de la journée.

Le volume

Apportez des nuances dans votre voix, cela rend la conversation plus dynamique. Commencez votre conversation en parlant plus fort. Terminez en parlant sur une note plus haute et enthousiaste. Si une personne s'emporte, ne haussez pas la voix, au contraire, baissez le volume. Servez-vous de votre voix pour capter l'attention des interlocuteurs.

Les 10 règles du savoir-vivre téléphonique

1. Décrochez immédiatement.
2. Répondez avec le sourire.
3. Soignez l'intonation, le débit et le volume.
4. Présentez-vous de façon positive.
5. Demandez à votre interlocuteur son nom.
6. Posez les bonnes questions.
7. Prenez un message utile.
8. Reformulez-le.
9. Notez les références téléphoniques.
10. Assurez le suivi des appels.

Conseils généraux

1. Créez une image positive au téléphone

Combien d'entre vous ont parlé à des interlocuteurs sans jamais les rencontrer ? Au téléphone, votre voix est le seul reflet de votre personnalité. Votre façon de répondre au téléphone transmet un message important aux gens. Appliquez la règle d'or : traitez les autres comme vous aimeriez être traité vous-même. Comme 70 % de la communication passe par le téléphone, il importe donc de réunir quelques éléments essentiels.

- Donnez aux gens une raison d'aimer vous parler. N'oubliez pas que le client peut décider de faire affaire avec une autre entreprise. Il ne faut jamais sous-estimer l'importance de l'étiquette au téléphone.

- Exigez que votre environnement de travail soit calme et silencieux. Répondez aussitôt que vous entendez la sonnerie. Cessez toute activité et concentrez-vous sur l'appel. Ne vous laissez pas interrompre par un collègue lorsque vous êtes au téléphone. Les premières minutes d'un appel sont déterminantes. Souriez – le sourire s'entend au téléphone – et décrochez.

- Nommez le nom de votre entreprise suivi ou précédé d'un « Bonjour ». Les mots « Bonjour », « Bon après-midi », « Merci de votre appel », « Joyeuses fêtes » sont considérés comme des mots tampons, autrement dit des mots qui absorbent les hostilités entre les individus, les heurts ou les chocs. C'est aussi une façon courtoise de répondre et de se rapprocher des gens.

- Accueillez l'appel comme si le visiteur était devant vous. On ne vous voit pas, il faut donc porter toute votre attention sur les paroles, le choix des mots et sur le ton que vous utilisez. N'oubliez jamais que lorsque le téléphone sonne, il y a une personne qui attend une réponse. Si vous devez utiliser la fonction main libre, demandez la permission à votre interlocuteur auparavant. Certaines personnes peuvent s'y opposer. Demeurez poli.

- S'il y a un visiteur devant vous, dites-lui : « Permettez-moi de répondre à cet appel. » Lorsque vous êtes disponible à nouveau, dites : « Merci d'avoir attendu. »

- S'il y a un collègue ou un gestionnaire qui vous parle pendant que votre téléphone sonne, dites-lui : « Permettez-moi de répondre à cet appel. » Lorsque vous êtes disponible à nouveau, dites : « Merci d'avoir attendu. »

- Si vous êtes déjà au téléphone, dites à votre interlocuteur : « Permettez-moi de répondre à un autre appel. » Prenez le second appel, écrivez les coordonnées, proposez de rappeler cette personne et revenez immédiatement au premier appel. Lorsque vous revenez au premier interlocuteur, dites : « Merci d'avoir attendu. »

- Personne n'aime attendre au bout du fil. C'est ce qui dérange le plus les gens, mais la plupart acceptent de le faire si on le leur demande d'abord et si on attend leur réponse.

Remerciez toujours les gens d'avoir attendu avant de reprendre la conversation.

- Si votre interlocuteur désire parler à quelqu'un d'autre, informez-vous si la personne est disponible. Si elle ne l'est pas, prenez le message ou demandez à l'interlocuteur de laisser un message dans la boîte vocale. Si vous n'êtes pas en mesure de l'aider, trouvez quelqu'un qui le fera. Dites à l'interlocuteur que vous acheminez son appel à une autre personne et donnez son nom.

- Évitez le jeu du trampoline, c'est-à-dire acheminer un appel à n'importe qui pour s'en débarrasser.

**

Voici un fait vécu alors que je voulais simplement signifier un changement d'adresse.

Entreprise : « Bonjour, Service Impec. »

Moi : « Bonjour, j'aimerais faire un changement d'adresse s'il vous plaît. »

Entreprise : « Un changement d'adresse, je ne suis pas certaine, ne quittez pas ! »

La réceptionniste achemine mon appel à une autre personne, mais elle n'est pas certaine si celle-ci pourra répondre à ma demande. Cette personne, dont je ne connais pas le nom, me répond : « Bonjour, puis-je vous aider ? »

Moi : « Bonjour, j'aimerais effectuer un changement d'adresse. »

Entreprise : « Je ne sais pas comment le faire, restez en communication, s'il vous plaît. »

Cette personne achemine mon appel à une nouvelle personne. Celle-ci me répond : « Bonjour, puis-je vous aider ? »

Moi : « Oui, j'aimerais parler à quelqu'un de responsable pour effectuer mon changement d'adresse, c'est pourtant simple. »

Entreprise : « Ce n'est pas moi qui s'occupe de cela, je vais voir qui pourrait vous répondre. »

Moi : « Pouvez-vous m'aider avec mon changement d'adresse ? »

Entreprise : « Ah ! c'est vous ! Personne ne vous a répondu. » Vous aurez deviné que l'appel est revenu au poste de la réceptionniste.

Moi : « Non, c'est la raison pour laquelle j'attends toujours. »

Entreprise : « Je pense que la dame qui s'occupe des changements d'adresse est absente aujourd'hui, voulez-vous la rappeler demain ? »

Est-ce qu'on a une personne contente au bout du fil ? Je ne le crois pas. J'ai eu cette réflexion instantanée : « S'ils gèrent mon dossier de cette façon, je m'inquiète. »

***

- Avant d'acheminer l'appel à quelqu'un d'autre, assurez-vous d'avoir terminé votre phrase, sinon cela pourrait ressembler à ceci : « Un instant, s'il vous plaît, je transmets votre appel à... » Ne vous contentez pas de répondre : « Une minute » ou « Un instant. » Donnez le nom de la personne à qui vous passez l'appel.

- Un visiteur se présente à la réception pendant que vous êtes déjà au téléphone. Continuez votre appel tout en faisant signe au visiteur que vous l'avez vu.

- Ayez les outils nécessaires à votre disposition : agenda, stylo, papier. Il ne faut pas chercher et laisser attendre les personnes qui appellent.

2. Établissez une bonne relation

- Prononcez bien le nom de votre entreprise lorsque vous répondez. Trop de personnes n'articulent pas suffisamment bien. Parlez lentement, en fait deux fois plus lentement que lors d'une conversation en face à face.

- Utilisez des formules proactives : «Comment puis-je vous être utile ? »

- Demandez poliment le nom : «Puis-je vous demander votre nom ? » ou encore «Puis-je annoncer qui l'appelle ? »

- Orientez l'interlocuteur vers un service plus compétent que vous si vous ne pouvez pas répondre vous-même.

- Si vous devez vous renseigner auprès de collègues, n'oubliez pas de mettre le téléphone en mode garde pour que l'interlocuteur n'entende pas votre conversation à l'interne.

- N'oubliez pas que beaucoup de gestes s'entendent au téléphone : fouiller dans ses documents, manger, boire, écrire sur son ordinateur, mâcher de la gomme, frapper sur le bureau avec son crayon.

- Accordez toute votre attention à votre interlocuteur. Écoutez attentivement. Ne coupez pas inutilement la parole. Si le client parle trop, dites simplement : «Je dois vous interrompre pour vous demander plus de questions» ou encore «Pouvez-vous me donner la date de votre commande ou le numéro de facture ? » En posant des questions, vous reprenez le contrôle de la conversation.

3. Lorsque vous laissez un message...

- Lorsque vous appelez quelqu'un et que vous laissez un message, annoncez d'abord votre nom et celui de votre entreprise suivis du numéro de téléphone. Parlez lentement, d'une voix ferme et assurée. Au téléphone, il faut parler plus lentement que lors d'une conversation, ralentissez donc votre débit normal.

- Dictez un court message et terminez par votre nom, celui de l'entreprise et votre numéro de téléphone. N'oubliez pas de laisser le but de votre appel ainsi que le meilleur moment pour vous joindre. Ainsi, la personne qui vous appellera aura la possibilité de s'y préparer.

4. Lorsque vous recevez un appel...

- N'hésitez pas à faire répéter le nom ou à l'épeler si vous avez mal compris.

- Ne dites pas : « C'est de la part de qui ? » (Cela signifie : Êtes-vous important ?), mais plutôt : « Qui dois-je annoncer ? » ou « Qui le demande ? » Si vous pensez reconnaître la voix et que vous n'êtes pas certain, dites plutôt : « Pouvez-vous me rappeler votre nom ? »

- Remplacez la formule « Ne quittez pas », par « Merci de rester en communication. »

- Souvenez-vous des mots magiques : « Si vous permettez... », « Permettez-moi... », « Puis-je... », « Merci ! »

- Voici quelques petites règles à ne pas oublier :
  - Ne négligez jamais les règles de politesse sous prétexte que vous êtes trop occupé.
  - Remerciez toujours votre interlocuteur à la fin de la conversation.
  - Répétez le nom de l'interlocuteur au cours de la conversation.
  - Baissez le ton si l'interlocuteur s'emporte.
  - Tenez l'interlocuteur informé de ce que vous faites. (Je prends des notes pendant que vous parlez.) Rassurez-le.
  - Ne faites pas de promesse au nom d'une autre personne.
  - Terminez sur une note positive.
  - N'acheminez pas un appel de plainte dans une boîte vocale, notez tous les détails.

- Les interlocuteurs n'aiment pas :
  - que le téléphone sonne trop longtemps ;
  - parler à un préposé qui ne sait pas à qui acheminer les appels ;
  - se faire interrompre ;
  - «tomber» dans la boîte vocale d'une entreprise durant les heures normales de travail ;
  - attendre trop longtemps (pas plus d'une minute) ;
  - que l'on ne réponde pas à leurs appels dans un court délai. Vous devriez rappeler dans les quatre heures qui suivent sa réception. Beaucoup de gens de tous les niveaux hiérarchiques négligent ce délai.

5. Maîtrisez vos émotions avec un client impoli

Il arrive que certains interlocuteurs soient impolis. Comment agir ? Utilisez une technique infaillible.

- Utilisez le mot «désolé» : «Désolé, si on vous a donné la mauvaise information. Je comprends pourquoi vous êtes déçu.» Dans ce cas, le mot «désolé «agira comme un baume sur la blessure de la personne mécontente

- Soyez empathique : «Je comprends comment vous vous sentez.» Ne coupez pas la communication à quelqu'un d'impoli même si vos supérieurs vous donnent la permission de le faire. Apprenez à maîtriser ces situations. Jamais un supérieur ne devrait autoriser un employé à agir de la sorte.

- Montrez que vous êtes une personne responsable : «Voyons comment nous pourrions vous aider. Je m'appelle..., puis-je transmettre votre message au directeur du service à la clientèle ?»

- Agissez d'une façon efficace : «Merci de votre appel, soyez assuré que Monsieur le directeur s'occupera de vous.»

- Lorsque l'interlocuteur n'arrive pas à exprimer rapidement la raison de son mécontentement, soyez direct: «Qu'est-ce que vous voulez dire? Comment puis-je vous aider?»

- Lorsque l'interlocuteur parle sans arrêt, interrompez-le poliment et dites: «Monsieur ou Madame..., je ne crois pas que je puisse vous aider, permettez-moi d'acheminer votre appel au service ... ou à ... (nommez la personne) qui pourra vous aider beaucoup mieux que moi.» Même s'il n'est pas souhaitable d'acheminer les appels à quelqu'un d'autre, dans des situations tendues, il vaut mieux le faire.

- Lorsque la conversation est interminable, prenez la situation en main en demandant: «Monsieur ou Madame..., permettez-moi de résumer la conversation.»

Le vocabulaire efficace

Ne dites pas	Dites plutôt
Le problème.	La situation.
Vous êtes?	Puis-je connaître votre nom?
Monsieur comment déjà?	Pouvez-vous me rappeler votre nom?
Avez-vous rendez-vous?	À quelle heure est votre rendez-vous?
Gardez la ligne, je vous mets en communication.	Ne quittez pas, je vous mets en communication.
Fermer la ligne au nez.	Raccrocher au nez.
Il y a quelqu'un sur la ligne.	La ligne est occupée.
Quelqu'un d'autre est sur la ligne.	Quelqu'un d'autre est à l'écoute.
Ma petite madame.	Le nom du client.

Ne dites pas	Dites plutôt
Il n'est pas revenu de son lunch.	Il ne devrait pas tarder, puis-je prendre votre message ou désirez-vous laisser un message sur sa boîte vocale?
Ne vous fâchez pas.	Je vous comprends.
Je ne peux pas.	Je pourrais.
Je ne suis pas au courant.	Je vais m'informer.
On n'a jamais fait ça.	Il y a sûrement un moyen de faire.
Personne ne se plaint de ça.	Merci de nous informer.
Je vais essayer.	Je vais faire le nécessaire.
Je ne vois pas le problème.	Je vous écoute.
Je regrette ou excusez-moi.	Je suis désolé.
Vous devez.	Nous demandons à nos clients.
Au revoir.	Au revoir et merci de votre appel.
Hein, ok, tsé, bon.	—
Qui l'appelle?	Qui dois-je annoncer?
Merci d'avoir patienté.	Merci de rester en communication.
Ça ne sera pas long.	Un moment, je vous prie, ou un instant, s'il vous plaît.
Il est au téléphone, voulez-vous l'attendre? Ne quittez pas, je vous transfère dans sa boîte vocale.	Monsieur le Patron est au téléphone, préférez-vous attendre ou laisser un message dans sa boîte vocale? Ou: Puis-je prendre votre message?

L'art de la conversation

Une question m'est souvent posée: «Je me sens à l'aise avec des personnes que je connais peu ou totalement inconnues lorsque je parle affaires avec elles. Lorsque vient le temps de parler d'autres sujets, je ne sais pas quoi dire. Pouvez-vous m'aider?»

Voici ma réponse: Tout d'abord, ne vous en faites pas. Vous n'êtes pas unique dans cette situation. Beaucoup de gens sont comme vous. Depuis notre tendre enfance, on nous a dit et redit de ne pas parler aux étrangers. On sait qu'en affaires, c'est le contraire qu'il faut faire. Il y a quelques années, j'étais dans la même situation que vous. Pour bien maîtriser cet art, il faut apprendre à poser des questions. C'est aussi simple que ça. Mais, au fait, quelles sorte de questions?

Sur une base un peu plus personnelle, essayez celles-ci:

- Parlez-moi de votre travail.
- Il y a longtemps que vous travaillez pour cette entreprise?
- Voyagez-vous souvent pour votre travail?
- Demeurez-vous près de votre travail?
- Parlez-moi de votre famille.
- Avez-vous des enfants?
- En hiver: Pratiquez-vous le ski ou d'autres sports d'hiver?
- En été: Jouez-vous au golf, au tennis, etc.?

Quand on vous pose une question, répondez-y et faites de même à votre tour. Rien de plus simple. Voyez la conversation comme une partie de tennis; le retour de la balle est important, sinon vous êtes *out*.

L'étiquette électronique

Dans le monde de l'hypercommunication,
la communication entre les hommes
est réduite à presque rien.

François Bayrou (*Penser le changement*)

Nous vivons à l'ère de la rapidité, nous zappons, nous changeons de conjoint, nous n'allons pas en profondeur et nous agissons de la même façon dans notre vie de tous les jours. Converser, c'est aussi savoir écouter. Prenons-nous le temps de le faire ? Sommes-nous trop pressés ? Je pense que oui, et c'est dommage. N'oublions pas l'être humain d'abord, le temps ensuite.

Avec la pratique, vous deviendrez un as de la conversation. À quoi cela sert de devenir champion ? À vous rapprocher des gens, à développer votre confiance et à solidifier les liens. Amenez les gens à aimer vous parler ! Pratiquez, pratiquez, pratiquez ! C'est le secret.

L'utilisation du cellulaire et de l'appareil mobile de poche (BlackBerry)

Les téléphones cellulaires sont une merveilleuse invention. Ils nous permettent de communiquer n'importe où sur la planète et à n'importe quelle heure. Nous ne pouvons plus nous en passer tant dans nos communications d'affaires que dans la vie de tous les jours. Ils représentent une sécurité pour les automobilistes qui tombent en panne et ils peuvent aussi aider à sauver des vies. Malheureusement, ils contribuent également à gâcher certains moments.

Le nombre d'utilisateurs de cellulaires grandit chaque jour. Les jeunes ne s'en privent pas et cela représente une sécurité pour les parents qui désirent communiquer en tout temps avec eux. Il s'agit d'un équipement utile lorsqu'il est bien employé, c'est-à-dire avec politesse, civilité et courtoisie. Cette récente technologie, tout comme Internet, a pris les gens par surprise. Les compagnies de téléphone remettent des livrets d'instructions concernant le fonctionnement de ces appareils, mais ils devraient également inclure des conseils d'utilisation courtoise. Les gens ne savent pas, improvisent et commettent des bévues.

Lorsque vous êtes en réunion ou dans un endroit public (restaurant, cinéma, théâtre, salon funéraire, église, cour, métro, autobus), gardez votre cellulaire en mode vibration. De cette façon, vous ne dérangerez personne. Laissez votre messagerie prendre vos messages. Lorsque vous êtes en réunion et que vous attendez un appel très important, informez la personne qui dirige la réunion et sortez lorsque vous sentez la vibration de votre téléphone.

Pour les utilisateurs de cellulaires

- Évitez les endroits bruyants et les endroits où la communication est susceptible d'être interrompue.

- Évitez les sonneries musicales ; optez pour les traditionnelles. Les sonneries musicales peuvent être gênantes dans certaines occasions.

- Contrôlez le débit de votre voix. Ne parlez pas trop fort, c'est-à-dire pas plus fort que lorsque vous répondez à votre téléphone.

- Ne parlez pas au cellulaire dans la rue ou dans un endroit public. Autrement dit, soyez discret. Faites circuler ce message à vos enfants. Apprenez-leur les règles. Ils vous en seront reconnaissants rendus à l'âge adulte.

- Ne discutez pas de choses personnelles et confidentielles en public.

- Lorsque vous devez répondre au cellulaire, éloignez-vous des gens qui vous entourent, même au restaurant. Excusez-vous, levez-vous et choisissez un endroit discret. L'absence doit être brève.

- Lorsque vous recevez ou visitez des clients, fermez votre sonnerie. Ils méritent toute votre attention.

Pour les utilisateurs d'appareil mobile de poche (BlackBerry)

- Cet appareil est un accessoire avec lequel vous pouvez accéder à vos courriels, naviguer sur Internet, parler au téléphone, gérer vos listes et agendas. Vous êtes accessible en tout temps. Aujourd'hui, des milliers de personnes ne pourraient pas s'en passer. Beaucoup d'entre elles sont même devenues dépendantes de cet outil moderne de communication.

- Les mêmes règles de politesse s'appliquent à l'utilisation de cet appareil. Trop de gens consultent leur BlackBerry pendant les réunions. Cette attitude n'est pas acceptable ni tolérable ; c'est un manque de discernement flagrant. Lorsque vous consultez votre terminal en pleine réunion, c'est comme si votre portable était ouvert sur la table devant vous pour vous permettre de vérifier vos courriels. C'est aussi comme si votre radio était branchée pour écouter votre musique préférée et que votre cellulaire était en fonction pour répondre à vos appels. Visualisez cette description, vous en aurez des frissons. Les formateurs ou les dirigeants de réunions s'aperçoivent du stratagème même lorsque vous vous penchez sous la table discrètement pour prendre vos messages et que vous pensez passer inaperçu. À bas la dépendance au BlackBerry! Accordez votre attention aux êtres humains avant la technologie!

Voici quelques conseils de base qui feront de vous un utilisateur averti:

- Pendant une réunion, fermez le son de votre appareil.

- N'allez pas vérifier vos messages en plaçant votre appareil sous la table et en croyant que personne ne le remarque.

- Laissez votre appareil dans votre attaché-case ou sac à main, non sur la table.

- Si vous attendez un important courriel, placez votre appareil en mode vibration.

- Dites aux gens que vous attendez un message important au cours de la réunion.

- Si ce courriel a pour but d'aider l'assemblée, laissez-le ouvert et informez celle-ci.

- Évitez de vérifier si vous avez des courriels tous les cinq minutes. Cela dérange les participants et, surtout, l'animateur.

- Respectez votre entourage et ne dérangez personne.

- N'utilisez pas votre appareil au volant.

La clé pour bien utiliser votre BlackBerry, c'est de vous soucier des simples règles d'étiquette de base. Si vous avez des informations à transmettre à des collègues et que vous pensez le faire à l'aide de votre appareil, informez l'assemblée de votre intention en disant ceci: «Si vous permettez, je vais transmettre ces chiffres à mon collègue immédiatement; de cette façon, nous gagnerons du temps.» Respectez les différences culturelles. L'utilisation du BlackBerry n'est peut-être pas aussi courante dans d'autres pays. Informez-vous et ne croyez surtout pas impressionner les gens avec vos gadgets !

Voici ce qui dérange le plus les gens :

- Entendre les gens parler trop fort, soit dans la rue, soit dans un endroit public (restaurant et autres) ;
- Rester seul à table pendant que notre invité ou notre hôte parle au cellulaire ou se lève de table pour y répondre ;
- Entendre sonner les cellulaires durant les réunions et les événements ;
- Répondre au téléphone lorsqu'on est en réunion ;
- Répondre à son téléphone cellulaire personnel au bureau ;
- Parler en conduisant ;
- Entendre les bruits ambiants ou une musique trop forte ;
- Ne pas avoir de messagerie vocale pour laisser un message ;
- Laisser votre cellulaire sur la table au restaurant ou en réunion ;
- Être mis en attente.

La dernière impression

Nous entendons beaucoup parler de la première impression. Qu'en est-il de la dernière impression ? Il est important de bien clore une conversation, et l'utilisation de ces petits mots d'une façon appropriée fera de grands miracles :

- «Merci de votre appel.»
- «N'hésitez pas à nous rappeler.»
- «Nous apprécions votre clientèle.»
- «Ce fut un plaisir de vous parler.»

Montrez aux gens que vous êtes heureux de leur parler et qu'ils sont les bienvenus.

Les courriels

Comment votre entreprise peut-elle contrôler efficacement l'utilisation des courriels?

La première étape consiste à concevoir une politique écrite qui sera distribuée à chaque employé. Ensuite, ce dernier doit être informé de l'importance des nouvelles habitudes et des motifs qui poussent les dirigeants à intervenir. Des vérifications périodiques doivent être faites auprès des employés. Les règles qui suivent peuvent être utilisées comme base de votre document.

Pourquoi l'étiquette est-elle si importante dans l'envoi de courriels?

- Pour perpétuer l'image de marque de votre entreprise.

- Pour promouvoir votre efficacité et votre professionnalisme.

- Pour vous rapprocher des gens qui prennent le temps de vous écrire.

Les règles d'étiquette

1. Incluez un sujet qui résume bien le message dans la case appropriée. C'est celui-ci qui suscitera l'intérêt du lecteur.

2. Les lignes ne doivent pas dépasser de 60 à 70 caractères. Si elles sont plus longues, le destinataire recevra un courriel plus difficile à lire, car les lignes pourraient être modifiées lors de sa réception par le destinataire

3. Allez à l'essence même du sujet. Le message doit être court, précis et direct tout en étant poli.

4. Organisez le contenu en ordre logique. Structurez vos messages comme vous le faites pour une lettre.

5. Répondez aux questions point par point et ne laissez pas de place à l'interprétation.

6. Écrivez les noms et les titres correctement.

7. Vérifiez la grammaire et la ponctuation avant d'envoyer le message.

8. Servez-vous des termes de politesse (Bonjour, Monsieur ou Madame). Soyez aussi poli avec vos collègues. Ne répondez pas brièvement à un courriel d'un collègue. Utilisez quelques mots polis comme « Bonjour », « Merci », « Au plaisir ».

9. Utilisez des termes courts en guise de conclusion (Salutations).

10. Si vous devez répondre souvent aux mêmes demandes, préparez-vous un texte que vous pourrez utiliser au besoin en vous servant des fonctions « copier et coller », éliminant ainsi les risques d'erreurs.

11. N'attachez pas de documents lourds à vos envois. Utilisez le format PDF de préférence à Word.

12. N'utilisez pas la fonction « Haute priorité », « Urgent », « Important » à toutes les sauces, seulement lorsque cela est vraiment essentiel.

13. N'écrivez pas vos textes en majuscules, c'est un manque de politesse.

14. Ne changez pas le sujet en titre lorsque vous répondez afin que le lecteur puisse s'y reporter rapidement.

15. N'utilisez pas la fonction « Répondre à tous » sans que cela soit vraiment nécessaire.

16. Employez plutôt la fonction «Copie conforme invisible ou CCI».

17. Attention aux abréviations, au fond d'écran.

18. Ne faites pas suivre les chaînes de lettres ou les farces.

19. N'utilisez pas le courriel de l'entreprise à des fins personnelles.

20. Ne copiez pas un message sans la permission de l'auteur.

21. N'écrivez rien de confidentiel, car rien n'est confidentiel sur Internet.

22. Ne répondez pas aux pourriels, car cela confirme à l'expéditeur que vous les recevez et que votre adresse est valide. Ne demandez pas de vous désabonner non plus, pour la même raison. Installez plutôt un logiciel qui bloquera l'accès de ces messages indésirables. Il y en a de très efficaces qui arrêtent jusqu'à 95 % des messages.

23. Dans la mesure du possible, n'accusez pas réception d'un message de façon automatique; personnalisez vos accusés de réception, à moins que vous ne soyez à l'extérieur du bureau pour une période de temps donnée (vacances, congé de maternité ou autre).

24. Répondez le plus rapidement possible à vos courriels, dans les quatre heures qui suivent leur réception.

25. Utilisez une police de caractères facile à lire (arial, courrier, tahoma, times). La taille, le style et la couleur seront les mêmes pour le texte et la signature.

26. Une entreprise doit uniformiser sa façon de rédiger et de signer les courriels. Il n'est pas rare que l'envoi de courriels soit laissé à la créativité de chaque employé. C'est gênant!

27. Ne demandez pas d'accusé de réception automatique, cela frustre les gens, à moins que cela ne soit indispensable sur le plan juridique.

28. La signature doit être courte. Elle comprend : votre nom, le nom de l'entreprise, le numéro de téléphone et celui du télécopieur (si nécessaire), l'adresse Internet si elle est différente de celle de l'envoi.

29. Vous pouvez utiliser le logo de votre entreprise ou un slogan significatif, sans plus.

30. Soyez poli en tout temps, même si vous avez le goût d'appuyer fortement sur les mots.

31. Les gens se font une opinion de vous (et de votre entreprise) en se basant sur votre façon d'écrire.

32. Le faites-vous pour vous débarrasser, pour vous défouler ou pour informer ?

33. Lorsque vous répondez à un message, laissez un ou deux paragraphes du texte de l'expéditeur, puis effacez le reste. Cela facilite la vie à la personne qui reçoit le message et économise le papier d'impression.

34. Ne harcelez pas les gens par courriel. Eh oui, cela se fait de plus en plus ! Les gens demandent d'une façon grossière, ordonnent, exigent en se servant des caractères gras, du souligné, des lettres rouges de gros format. La politesse a toujours sa place.

35. Utilisez la fonction « Copie à » seulement lorsque c'est nécessaire. Trop d'employés envoient des copies conformes à leurs directeurs sans motif. Ne vous servez pas du courriel pour régler vos comptes.

L'utilisation de l'ordinateur du bureau à des fins personnelles

N'utilisez jamais l'ordinateur du bureau à des fins personnelles. Il peut être coûteux de vous servir de votre adresse électronique au bureau pour transmettre des opinions ou participer à des forums de discussion sur une base personnelle. Vos écrits peuvent avoir un effet négatif et cela pourrait rejaillir sur l'entreprise qui vous embauche. Cette adresse vous est allouée par l'entreprise pour le travail, elle ne vous appartient pas personnellement. Savez-vous que des causes se trouvent maintenant devant les tribunaux et que des montants d'argent appréciables y sont impliqués ? Une règle simple : n'écrivez pas dans un courriel ce que vous n'oseriez pas afficher sur le babillard de votre entreprise ou dire en personne à quelqu'un d'autre, les yeux dans les yeux.

Comprenez que l'ordinateur du bureau ne vous appartient pas. Que vos messages, même si vous les mettez à la poubelle, restent sur le serveur principal et qu'ils peuvent toujours être retracés.

Si vous êtes stressé et que vous désirez vous détendre, sortez, allez marcher, mais ne vous amusez surtout pas sur les sites pornographiques, les sites de rencontres et ne planifiez pas vos vacances pendant votre travail. C'est un manque de jugement et d'éthique. Jouer aux cartes n'est pas plus brillant.

Si vous devez utiliser le courriel de l'entreprise à des fins personnelles, demandez la permission à votre supérieur pour vous en servir pendant votre pause ou à l'heure du lunch.

Les employeurs n'apprécient pas que les employés ambitionnent. Tous savent que quinze minutes sur Internet, c'est très vite passé et qu'on peut facilement perdre la notion du temps.

Chers patrons, à vos postes ! Écrivez les règles concernant l'utilisation du courriel et passez le message. Tout le monde en sera plus heureux.

Les sorties au restaurant et les *partys* de bureau

Dignité est un mot qui ne comporte pas de pluriel.

Paul Claudel (*Journal*)

Le comportement lors du *party* de bureau

La saison des fêtes avec son cortège de réceptions, incluant le *party* de bureau et les invitations au restaurant, alimente les lignes ouvertes à la radio et à la télé. Comment devons-nous nous comporter lors d'un tel événement?

Quelles sont les choses «à faire» et «à éviter»? Il importe de se rappeler que le *party* de bureau est considéré comme un événement social, mais il demeure également un événement professionnel. Le meilleur conseil que je puisse vous donner, c'est d'agir comme si vous participiez à une émission de téléréalité et que les caméras soient constamment braquées sur vous. Même si vous ne voulez pas être vu, soyez assuré que quelqu'un vous remarquera, surtout si vous commettez des bévues. Vous pourriez ainsi devenir le souffre-douleur pendant toute la prochaine année... et plus. À vous de décider!

Le *party* de bureau est peut-être le seul moment de l'année où vous rencontrerez la haute direction de l'entreprise. Considérez cet événement comme l'occasion unique de vous présenter aux dirigeants que vous n'avez pas l'occasion de croiser régulièrement et efforcez-vous de faire bonne impression.

Voici les erreurs les plus courantes commises lors des *partys* de bureau ou des invitations au restaurant:

- Flirter avec un collègue ou un patron.

- Boire excessivement.

- Se gaver au buffet.

- Exprimer des points de vue et des opinions que vous garderiez pour vous en d'autres temps.

- Porter votre décolleté plongeant et autres vêtements suggestifs.

- Donner des cadeaux inappropriés.

- Commander ce qu'il y a de plus cher au menu parce que c'est le patron qui paie.

- Commander ce qu'il y a de moins cher au menu parce qu'on ne sait pas trop comment agir.

- Suggérer des vins lorsque vous êtes invité (c'est la personne qui invite qui paie l'addition et qui choisit les vins).

- Oublier de remercier les dirigeants et les organisateurs de l'événement.

Certaines personnes évitent d'assister à de tels événements soit par gêne, soit par désintéressement. Votre absence constitue une entorse aux règles d'étiquette et de savoir-vivre. L'entreprise qui organise un *party* de bureau pour les employés s'attend à ce que tous y assistent et se comportent d'une façon professionnelle. Votre absence peut dénoter un manque d'intérêt envers votre emploi et votre employeur, et cela peut vous coûter une promotion.

Profitez plutôt de ces événements pour montrer aux supérieurs que vous savez vous conduire et qu'ils peuvent vous faire

confiance dans les événements à caractère social et professionnel. Comptez des points.

Conseils

1. Ne buvez pas trop.

2. Ne portez pas de vêtements suggestifs (décolleté, minijupe, vêtements trop moulants).

3. Ne flirtez pas.

4. Ne vous propulsez pas à la table du buffet pour le dévaliser.

5. Ne parlez pas des autres.

6. N'invitez pas vos amis ou votre conjoint sans en avoir obtenu la permission.

7. Ne vous plaignez pas de vos collègues et supérieurs, et ne critiquez pas les politiques de l'entreprise.

8. N'ayez pas de conversations trop intimes.

9. Ne vous vantez pas de vos exploits professionnels ou personnels.

10. S'il y a un échange de cadeaux, ne donnez pas un cadeau à connotation sexuelle et ne redonnez pas un cadeau que vous auriez reçu l'an passé.

11. Écoutez et laissez parler les autres.

Recommandations

1. Présentez-vous aux nouveaux employés et facilitez les présentations.

2. Ne passez pas toute la soirée avec votre clan. Circulez.

3. Mangez un peu avant l'événement. Vous supporterez mieux l'alcool et mangerez moins durant la fête.

4. Si la réception comprend des employés d'autres succursales, portez une cocarde du côté droit, avec votre nom et l'adresse de la succursale afin de faciliter les présentations.

5. Sachez tenir votre verre, votre serviette et les canapés pour offrir une main propre en tout temps.

6. Surveillez votre langage et les sujets de conversation. Évitez les sujets tabous : religion, politique, sexe, argent, racisme.

7. Si vous voyez que les sujets de conversation ne vous conviennent pas, faites-les dévier ou changez de groupe.

8. Comportez-vous comme si vous étiez sous observation parce que vous l'êtes.

9. Si votre conjoint vous accompagne et qu'il flirte avec un ou une collègue, il est temps de partir.

10. Si vous dansez, gardez vos distances.

11. Ne soyez pas le dernier à quitter les lieux ; seuls les organisateurs et les dirigeants quitteront les lieux à la toute fin, c'est leur devoir de le faire.

12. Remerciez les patrons et les organisateurs du *party* ; démarquez-vous des autres !

13. Si vous êtes invité au restaurant, demandez à votre patron ce qu'il suggère et si vous êtes le patron, donnez des suggestions à vos invités. Rendez les gens à l'aise !

14. Pour vous éviter de trop boire, alternez un drink et un verre d'eau. Optez pour la bière ou le vin plutôt que pour les savants mélanges alcoolisés qui assomment. Bougez un peu. Ne passez pas toute la soirée assis. Circulez, dansez et amusez-vous sans vous enivrer.

Les cadeaux

- Les employés ne donnent pas de cadeaux individuels aux patrons. Si vous y tenez, optez pour un cadeau de groupe.

- Si vous avez une adjointe ou une secrétaire, offrez-lui un cadeau. Il s'agit d'une belle marque d'appréciation. Une prime n'est pas considérée comme un cadeau. Il s'agit plutôt d'une marque de reconnaissance pour un travail bien fait.

- Évitez les cadeaux trop personnels ou trop chers.

- Si vous ne donnez pas de cadeau à tous les employés, mais à vos proches collaborateurs, offrez-les en privé. Eh oui, on doit ouvrir le cadeau devant la personne qui l'offre. C'est la coutume en Amérique.

Si vous invitez vos employés pour une occasion spéciale

Les employeurs reçoivent leurs employés pour souligner des occasions spéciales (la période des fêtes, la Semaine des secrétaires, l'obtention d'un contrat, la réalisation d'un projet). Cette attention est grandement appréciée dans la plupart des cas.

Lorsque vous recevez au restaurant, assurez-vous que l'endroit que vous choisissez offre une bonne variété de plats et que ceux-ci correspondent à votre budget. Évitez les endroits qui n'offrent que des spécialités car certaines personnes, moins hasardeuses, risquent d'être déçues.

La personne qui invite doit garder le contrôle des choix. La meilleure façon consiste à faire des suggestions tant pour la nourriture que pour les vins. N'attendez pas que le serveur demande aux invités s'ils désirent un apéritif. Le serveur ne doit pas faire votre travail. Si vous voulez offrir l'apéro, mentionnez-le à vos invités. Si vous préférez commander du vin, dites-le également. Les gens respecteront vos suggestions.

Même si la personne qui paie l'addition contrôle la situation, il y aura toujours des gens bien intentionnés qui viendront ajouter leur grain de sel et qui vous mettront les nerfs en boule. Afin d'éviter ce genre de désagrément, choisissez le restaurant et faites préparer un menu à l'avance avec trois choix de repas principal. De cette façon, vous pourrez consacrer plus de temps à parler tout en relaxant.

Vous êtes invité au restaurant par le patron

Êtes-vous sortable? Tout le monde pense que oui. Savez-vous comment vous comporter à table? Savez-vous que la personne qui invite décide de l'endroit et suggère des choix à ses invités? Savez-vous que la personne qui invite choisit le vin et offre à ses invités de prendre l'apéritif? Ce n'est pas à l'invité de décider.

La personne qui invite doit porter le premier toast. L'invité, à qui l'on n'a pas offert de choix, a le devoir de demander des suggestions à ses hôtes.

Comment manger avec élégance

Fromages : On coupe un morceau avec le couteau et on le pose sur une bouchée de pain. On ne tartine pas.

Fruits : Les petits fruits et le raisin se mangent avec les doigts. On dépose discrètement les noyaux et les pépins dans le creux de la main. Ensuite, on les dépose sur le bord de l'assiette. Les pommes, les poires, les oranges sont coupées en deux et en quatre. On les pèle avec le couteau et la fourchette.

Pain : On ne coupe pas le pain, on le rompt avec ses mains en petites bouchées au fur et à mesure de nos besoins. On peut également se servir de morceaux de pain pour pousser les aliments sur la fourchette. On tartine le pain un morceau à la fois.

On attendra d'avoir une assiette devant soi (salade, entrée ou potage) avant de commencer à manger le pain.

Pâtes: Les pâtes longues s'enroulent autour des dents de la fourchette. L'utilisation de la cuillère n'est pas suggérée. Tournez plutôt les pâtes avec votre fourchette en commençant par le bord de l'assiette.

Poisson: On utilise le couvert à poisson. Après avoir fendu le poisson en suivant la ligne médiane, on lève les filets. Les arêtes sont repoussées sur le bord de l'assiette.

Pommes de terre: On les coupe avec la fourchette et on ne les réduit pas en purée.

Potage: On introduit la cuillère sur le côté et on verse le délicieux liquide sans aspirer et sans bruit. Il est préférable de ne pas soulever son assiette et on ne «nettoie» pas son assiette avec un morceau de pain.

Poulet: On ne saisit jamais les os de poulet avec ses doigts. On utilise le couteau et la fourchette et on coupe le poulet un morceau à la fois.

Salades: Si les feuilles sont trop grandes, on les plie avec le couteau et la fourchette. On ne coupe pas la salade. Si vous n'avez pas de couteau à salade, vous pouvez toujours utiliser un morceau de pain pour vous aider à plier les feuilles.

Sauce: Il faut se résigner à en laisser dans l'assiette. On ne se sert pas de cuillère ni de pain pour finir la sauce.

À ne pas faire

- S'installer à une place d'honneur sans y avoir été invité (la place d'honneur étant à droite de l'hôte).

- S'asseoir avant que l'hôte soit assis.

- Glisser sa serviette de table dans le col de sa chemise ou de sa robe, ou encore dans sa veste ou sa ceinture.

- Placer sa belle cravate en soie sur l'épaule pour ne pas la salir.

- Se jeter sur le pain ou vider son verre avant d'avoir entamé l'entrée.

- Commencer à manger avant l'hôte, à moins qu'il ne vous en donne la permission.

- Souffler sur son assiette ou sa bouchée pour refroidir les aliments.

- Passer devant les voisins pour saisir le pain, le beurre, le sel.

- Nettoyer son assiette avec du pain.

- Mal couper les fromages.

- Tâter le pain, les fromages ou les fruits avant d'en prendre.

- Poser les coudes sur la table pendant le repas.

- Retoucher son rouge à lèvres à table.

- Suspendre son sac à main à la chaise.

- Laisser son cellulaire, ses clés ou ses lunettes sur la table.

- Laisser ou baisser la sonnerie de son cellulaire.

- Régler l'addition à table.

- Cogner son verre lors du toast.

- Commencer à manger son pain en se mettant à table.

- Boire le verre de vin qui nous est versé avant d'avoir reçu l'entrée.

L'art de porter un toast et d'y répondre

Un toast doit être bref et on le portera au bon moment.

Un toast de bienvenue sera porté au début du repas alors que tous ont du vin dans leur verre. C'est l'hôte qui porte le premier toast.

Un autre moment idéal pour porter un toast est après le service du dessert, quand tous les verres de vin sont remplis ou quand le champagne accompagnant le dessert a été servi.

Les devoirs des invités

- Informez-vous sur le code vestimentaire. Si vous vous demandez quoi porter pour l'occasion, reportez-vous à la rubrique sur le code vestimentaire.

- La modération a bien meilleur goût. Soyez raisonnable en ce qui concerne la quantité de vin. Vous n'impressionnerez personne si vous vous enivrez. Un verre et demi de vin est la quantité suggérée lors d'un repas.

La méthode continentale

Voici un extrait de mon livre *L'étiquette en affaires*. «La méthode continentale, aussi appelée méthode européenne, est utilisée dans la majorité des pays de la planète, à l'exception des pays asiatiques, arabes et nord-américains. Cette méthode consiste à couper ses aliments, un morceau à la fois, avec le couteau dans sa main droite et la fourchette dans la main gauche. Il ne se fait aucun transfert d'une main à l'autre. On tient les ustensiles dans ses mains durant presque tout le repas et les pointes de la fourchette sont dirigées vers le bas. Le couteau sert à couper les aliments, mais aussi à pousser les aliments sur la fourchette, qui est dirigée vers la bouche, pointes vers le bas.

Les couverts et les verres sont placés en
fonction du moment où on les utilisera.

« Mais de quelle main doit-on tenir sa fourchette pour manger son dessert ou sa salade ? Voici la règle : on utilise la fourchette de la main gauche et le couteau de la main droite pour
couper les viandes et les autres aliments ; si on n'a pas à utiliser
le couteau (par exemple, lorsqu'on mange du poisson, certains
légumes, des œufs, etc.), on peut tenir sa fourchette de la main
droite, les dents vers le haut.

« La méthode continentale est plus gracieuse et plus facile
que la méthode américaine, étant donné que l'on prend les
ustensiles dans l'ordre où ils sont placés sur la table et qu'il n'y
a aucun transfert à effectuer. »

Les pourboires

Le mot « pourboire » (*tip*, en anglais) est apparu au cours du
XVIIIe siècle. Les clients pressés (même à cette époque) étaient
disposés à laisser une somme d'argent en échange d'un service
rapide. Un restaurateur futé installa donc une petite boîte dans
son restaurant. Sur celle-ci, on pouvait lire : *to insure promptness*.

Plus tard, on a raccourci cette phrase et cela est devenu *tip*, à partir des premières lettres de ces trois mots.

On se demande souvent s'il est nécessaire de laisser un pourboire? En fait, c'est une façon de remercier un employé pour un service reçu. Si le service n'est pas à la hauteur de nos attentes, il est permis de laisser un pourboire inférieur en donnant poliment la raison à la personne concernée.

À qui devrait-on en laisser et combien ?

Restaurant	15 % (l'équivalent des taxes) Si vous apportez votre vin, ajoutez 2 $ par bouteille.
Restaurant de luxe	Si le maître d'hôtel vous assigne une place, glissez-lui discrètement un pourboire (20 $). Laissez un pourboire de 20 % du total de la facture (avant les taxes); cette somme sera répartie entre le personnel.
	Le voiturier (valet): 5 $
	Le préposé au vestiaire: 1 $
Restaurant familial, brunch ou buffet	10 % de la facture avant les taxes
Comptoir alimentaire	Il n'est pas nécessaire d'en donner, mais on peut laisser la monnaie (moins de 1 $)
Livreur à domicile	10 % de la facture avant les taxes
Livreur d'épicerie	1 $ par boîte
Taxi	10 % du total de la course Si vous avez des bagages à déposer dans le coffre, laissez un peu plus.

Hôtels de luxe	5 $ au portier 5 $ par valise au chasseur 20 % de la note pour le service à la chambre 4 $ par nuitée à la femme de chambre 5 $ au voiturier(valet)
Hôtels ordinaires	2 $ au portier 3 $ ou plus au chasseur (selon le nombre de bagages) 10 % ou 15 % pour le service à la chambre 2 $ par nuitée par occupant à la femme de chambre 2 $ au voiturier
Salon de coiffure	Salon renommé : 20 % de la facture qui sera réparti aux personnes qui se sont occupées de vous 15 % pour une mise en plis ou la manucure 2 % pour la préposée au shampoing Salon modeste : 10 % de la facture 1$ pour le shampoing et 2 $ pour la manucure
Pompiste	S'il sert l'essence : 1$. Plus, s'il rend d'autres services.

Le montant des pourboires varie d'un pays à l'autre. Souvent, il est inclus dans l'addition. Lors d'un voyage à Nassau, il m'est arrivé de laisser un pourboire de 15 % en plus du 15 % qui avait été ajouté à l'addition. Je peux vous assurer que cela ne s'est pas reproduit par la suite. Par contre, dans les restaurants de grand luxe, vous pouvez laisser un montant supplémentaire en plus du 15 % qui a été ajouté. Il est même conseillé de le faire. Il est donc important de vérifier.

Les sujets délicats

Notre langage ne vaut rien
pour décrire le monde des odeurs.

Patrick Süskind (*Le parfum*)

Les parfums

De nos jours, il y a de plus en plus de personnes allergiques aux parfums. Pour elles, il s'agit d'agents agresseurs chimiques et les symptômes qui en résultent varient. Si vous souffrez d'eczéma, de démangeaisons, de plaques rouges, de maux de tête, de douleurs aux sinus, de troubles respiratoires, de nausées, d'étourdissements, de troubles de concentration, d'éternuements, des yeux rouges et d'asthme, vous en êtes peut-être victime. Autrefois, les parfums étaient faits d'ingrédients naturels; maintenant, ils sont moins coûteux, plus répandus et plus synthétiques. Un seul parfum peut contenir jusqu'à 600 ingrédients chimiques différents. Comment savoir lequel des ingrédients nous irrite? Certains d'entre eux sont toxiques alors que d'autres sont purement volatils. Les jours de travail perdus à cause de ces petits symptômes coûtent très cher aux entreprises en plus d'incommoder l'entourage.

Beaucoup d'employeurs ont adopté une «politique sans parfum». Il s'agit d'un programme mis sur pied pour conscientiser les gens au fait que les autres peuvent souffrir d'allergies ou d'autres réactions défavorables causées par leur parfum. Plusieurs institutions ont banni les parfums, au travail et même à l'église. La «politique sans parfum» fait également partie du code d'éthique des employés du domaine médical et il est facile d'en comprendre les raisons.

Comment dire à un collègue de travail que son parfum nous occasionne des problèmes?

D'après les commentaires que je reçois régulièrement, il n'est pas facile d'informer un employé de cette situation et du désagrément que cela provoque chez ses collègues. Tout d'abord, il faut user de tact et lui demander de bien vouloir porter un produit plus doux en lui expliquant les raisons de cette demande. La façon la plus simple consiste à faire comprendre à un employé d'y aller doucement avec les parfums. Il serait de mise d'aborder ce sujet au moment de l'embauche ou encore d'écrire un petit guide de procédures qui inclura ce sujet. On dit que lorsque le parfum nous convient parfaitement, nous ne le sentons pas... mais les autres, le sentent-ils? Le jour, optez pour un produit dérivé : savon, gel de bain ou de douche, poudre, lait ou crème de corps ou une crème hydratante sans parfum. Oubliez les parfums purs ou même les eaux de parfum!

Il y a les personnes qui détestent se parfumer le matin et il y a celles qui se sentent nues sans leur parfum. Seulement, tôt le matin dans le métro ou l'autobus et, surtout, au bureau, ce parfum chéri peut devenir une vraie nuisance et être dérangeant pour les collègues. Si vous en êtes adepte, demandez à votre supérieur ou à vos collègues si cela les dérange. Imaginez un peu 30 personnes travaillant dans le même bureau utilisant 30 parfums différents! C'est peut-être cela, la tour de Babel?

Certaines femmes pensent bien faire en se parfumant le jour comme on se parfume le soir. On accordait, il y a quelques années, un certain prestige aux femmes qui utilisaient des parfums chers et réputés. Pierre Balmain souhaitait qu'une femme parfumée qui entre dans une pièce soit auréolée, mise en valeur, et que l'on regrette son effluve dès qu'elle aurait quitté l'endroit. Je ne crois pas que, de nos jours, une femme désire qu'on se rappelle d'elle pour son parfum une fois qu'elle a quitté la salle de réunion !

Une personne a partagé ceci avec moi : «J'ai dû rester dans la salle de réunion avec des directeurs (majoritairement des hommes) et j'ai entendu ce commentaire : "Pfuiff ! j'avais hâte qu'elle s'en aille afin de pouvoir respirer... Je n'en pouvais plus." Le plus désolant, c'est qu'ils étaient tellement dérangés par le parfum qu'ils n'ont pas retenu ce qu'elle disait, le sens de l'odorat étant plus sollicité que l'ouïe.» Quel dommage ! Une autre personne m'a dit que son grand-père a perdu conscience alors qu'il était en présence d'une personne parfumée à outrance.

Coco Chanel disait : «Une femme qui ne se parfume pas n'a pas d'avenir.» On est bien loin de ce dicton, Madame Chanel, ne vous en déplaise ! D'ailleurs, n'oubliez pas que ces célèbres gourous de la mode vendent aussi des parfums.

La même règle s'applique aussi aux hommes. Il n'y a rien de plus désagréable que de donner la main à un homme qui vient de se parfumer. Cette senteur vous suit une bonne partie de la journée. Messieurs, après avoir appliqué votre lotion après-rasage ou votre eau de Cologne, lavez-vous les mains. Merci !

C'est au supérieur immédiat que revient la tâche de convier la personne concernée et de lui expliquer les raisons de la rencontre. Un homme sera peut-être mal à l'aise d'avoir à expliquer la situation à une femme. À ce moment, demandez à une femme de le faire à votre place mais, de grâce, n'attendez pas, faites-le. Parlez.

Comment dire à un collègue de travail que ses odeurs corporelles nous dérangent ?

Dans ce cas aussi, c'est au supérieur immédiat d'avertir la personne concernée. Il s'agit d'une tâche très délicate. Cela sera difficile pour vous qui devez le dire et pour l'autre personne qui recevra le message. Soyez diplomate et sincère et préparez votre boîte de mouchoirs. Dites à la personne que vous désirez lui parler en privé. Déterminez une rencontre dans un endroit où vous ne serez pas dérangés. Dites que vous avez remarqué que son déodorant n'a plus d'effet, que notre système change et qu'il serait bien d'en essayer un autre. Ou encore, si le problème est plus sérieux – il peut être relié à l'état de santé –, suggérez de consulter un professionnel de la santé. Votre rôle n'est pas d'accuser, mais bien d'offrir de l'aide. Souvent, le collègue fera l'effort durant quelques semaines et retombera dans ses mêmes vieilles habitudes. Il ne faut pas attendre pour le rencontrer à nouveau. Il faut dire aussi qu'il est très important de se laver régulièrement et de mettre des vêtements frais. Les odeurs corporelles se composent en grande partie de déchets, et l'odeur qu'ils dégagent en se dissolvant ne suscitera peut-être pas un effet positif sur l'humeur des employés. L'odeur de la sueur fraîche peut être sexy pour certains, mais la sueur ancienne sent mauvais et répugne aux gens. Attention également aux odeurs de cuisson, de friture ou de boules antimites. Sentez vos vêtements. S'il ne sont pas frais, faites-les nettoyer.

De grâce, n'attendez pas des mois avant d'informer les personnes concernées. Faites-le honnêtement et dès le moment où vous recevez des plaintes ou dès que vous faites le constat vous-même. Bon courage !

Peu importe la source d'inconfort, informez les gens rapidement. Les plus grandes sources de stress en milieu de travail sont l'indifférence et le non-dit.

Pensez surtout au visiteur qui entre dans votre bureau et qui, tout le long de son parcours, est sollicité par des odeurs différentes : les parfums mélangés, les odeurs du repas qu'on a fait réchauffer au micro-ondes et qu'on mange à son bureau, le bacon à l'heure du petit déjeuner, etc.

Vous me direz que l'utilisation des parfums, c'est aussi culturel. Je vous le concède. N'oubliez pas ce proverbe : « Quand on est à Rome, on vit comme les Romains. »

La transpiration excessive

Question : Je travaille dans un bureau qui emploie une dizaine de personnes situées dans deux lieux différents : deux de ces personnes se trouvent dans un local presque fermé et les autres, dans un bureau à aire ouverte. Une des deux personnes dans le local fermé dégage des odeurs que nous avons de la difficulté à supporter. Lorsque je travaillais dans ce petit local avec elle, j'avais des aérosols sous mon bureau pour m'aider à passer la journée. D'autres personnes ont fait brûler des huiles essentielles pour changer l'odeur ambiante. Malgré nos messages, cette dame n'a pas compris et la situation s'est dégradée avec l'arrivée de l'été. J'en ai discuté avec mon supérieur et mes collègues et nous sommes d'avis que quelqu'un doit lui parler, mais comment s'y prendre ?

Réponse : Cette situation est devenue conflictuelle sur les lieux de travail. Que faire pour informer la personne visée ? Comment l'aborder ? Sachez aussi que les gens qui souffrent de transpiration excessive sont nombreux et que cela nuit considérablement à leur vie sociale et professionnelle et à leur entourage.

La première étape : Prenez conscience vous-même du problème. Comment ? Si vous vous rendez compte que les gens autour de vous utilisent des aérosols pour rafraîchir l'air ou font brûler de l'encens ou des huiles essentielles, posez-vous des questions. Est-ce que c'est moi la personne visée ?

La deuxième étape : Si vous pensez que les gens tentent de vous envoyer des messages, posez-leur la question tout simplement. Pourquoi utilises-tu cet aérosol ? Est-ce à cause de moi ? Vous qui lisez ce livre, prenez un instant pour poser la question à vos collègues.

La troisième étape : Répondez honnêtement aux questions.

Quatrième étape : Il existe plusieurs traitements efficaces, couverts par la plupart des régimes d'assurance-maladie. Le problème peut être relié à la santé, il peut s'agir d'hyperhidrose et cela se traite. Des millions de personnes en souffrent. On estime qu'aux États-Unis, l'hyperhidrose affecte 2,8 % de la population. Ce n'est quand même pas rien !

Quand on souffre de ce problème, il faut se laver plus souvent, faire nettoyer ses vêtements régulièrement, utiliser des produits pour absorber l'excès de sueur. L'odeur est souvent causée par des infections de la peau dues à cet état de transpiration excessive. On m'a dit récemment que les injections de Botox, au moins deux fois par année, apportent un soulagement efficace mais temporaire.

Cinquième étape : Le supérieur immédiat doit d'abord se renseigner sur la transpiration excessive avant d'en parler à la personne concernée. Il la rencontrera et l'amènera doucement vers ce sujet. Je suggère au supérieur de consulter, d'imprimer l'information, de trouver un médecin spécialiste dans la région et d'expliquer à la personne concernée qu'il doit faire cette démarche pour son bonheur et celui des collègues. Voici quelques phrases types : « Je tenais à vous féliciter pour votre bon travail. Il y a cependant un sujet délicat que j'aimerais aborder avec vous. Quelle est l'attitude de vos collègues envers vous ? Est-ce qu'ils sont gentils avec vous ? Est-ce que vous sentez que quelque chose les gêne ? » Posez des questions ouvertes. Faites parler la personne et glissez doucement vers le sujet. Ne prenez pas un ton accusateur ou menaçant. Mentionnez que vous voulez l'aider à améliorer la situation et que vous avez fait des recherches pour elle. Soutenez-la. Donnez-lui le congé nécessaire pour aller consulter le médecin spécialiste. Bonne chance !

La mauvaise haleine ou halitose

Question : Pouvez-vous parler dans un de vos prochains livres de la mauvaise haleine causée par la cigarette et le café ?

Réponse : Le sujet de la mauvaise haleine est tout aussi délicat que l'hygiène corporelle. Si vous voyez les gens reculer en votre présence ou rester loin de vous, posez-vous la question. Est-ce que j'ai mauvaise haleine ? Cela peut arriver à tout le monde. Vous avez une digestion lente, vous avez mangé des produits laitiers, bu du café ou fumé, cela risque de vous incommoder. La fumée du tabac se mélange aux autres odeurs buccales pour créer un véritable « cocktail explosif ». Les personnes qui souffrent de mauvaise haleine s'y adaptent et ne la sentent pas. Par contre, l'entourage la perçoit très bien. Les recherches disent que 85 % des causes de mauvaise haleine se passent au niveau de la bouche. Il importe donc de bien brosser ses dents, d'utiliser la soie dentaire et la petite brosse interdentaire. Ne négligez pas les gencives et la langue (utilisez le gratte-langue vendu en pharmacie). Enfin, la mauvaise haleine peut être un symptôme de maladie digestive. Si la mauvaise haleine persiste, consultez un professionnel de la santé. Là encore, demandez l'avis de l'entourage.

Faites le test suivant : Léchez la face interne du poignet, laissez sécher et sentez. Cela vous permet de vérifier si la salive est la source de la mauvaise haleine. Si la mauvaise haleine persiste, consultez un professionnel de la santé.

Comment le dire ? Honnêtement, franchement, sans détour.

L'allure

Question : Madame, nous avons une employée très efficace, mais son allure ne convient pas du tout à l'image de l'entreprise. Nous sommes même gênés lorsqu'elle rencontre des clients. Nous avons peur des conséquences et nous ne savons pas comment agir dans une telle situation. Pouvez-vous nous aider ?

Réponse : En tant que supérieur, votre rôle consiste à en parler à l'employée. Vous savez très bien que ce sujet est délicat et que vous risquez de la blesser. L'important est de lui expliquer ce qui dérange, et de lui dire pourquoi cela dérange. Il ne faut pas agir en juge, mais plutôt en conseiller. Faites-lui voir que sa tenue vestimentaire, ses cheveux, son maquillage ne conviennent pas au poste qu'elle occupe.

Comment le dire ? Supposons que cette employée s'appelle Francine. « Francine, j'aimerais te parler de tes vêtements. Je ne suis pas à l'aise avec ton excentricité. Je trouve que cela ne convient pas au milieu dans lequel nous travaillons. J'ai un peu peur de la perception des clients à ton égard. J'apprécierais que tu t'habilles et te maquilles plus sobrement. Crois-tu que tu pourrais faire l'effort de choisir une tenue plus classique ? Je suis certaine que tu as des vêtements dans ta garde-robe que tu pourras agencer autrement. »

Le simple fait d'expliquer à Francine que son allure peut influencer la pensée des clients à son égard lui permettra d'être plus consciente de ses choix à l'avenir.

Troisième partie

Le savoir-faire international

Les convenances culturelles

Tous les individus sont pareils;
seules leurs habitudes diffèrent.

Confucius

Les différences dans le monde

Avec l'accroissement de la mondialisation des marchés, nous recevons de plus en plus de visiteurs étrangers. L'adoption de bonnes habitudes est un atout précieux pour vous et votre entreprise où que vous soyez. N'oubliez pas que la gestuelle typique des Nord-Américains peut sembler agressive dans certains pays. Les étrangers qui viennent nous visiter nous reprochent d'être trop expéditifs, trop pressés à conclure des transactions au détriment des relations interpersonnelles. On nous reproche d'être trop rapides lors des réunions et de ne pas prévoir assez de temps pour les conversations qui peuvent paraître anodines pour nous mais déterminantes pour un visiteur étranger. Ils remarquent également que nous passons trop vite aux familiarités. Sommes-nous plus Américains que nous le croyons? Les visiteurs étrangers ne s'attendent pas à conclure un contrat lors d'une première ou d'une deuxième visite. Ils veulent d'abord vous connaître, puis connaître votre entreprise. Le produit viendra en troisième lieu. Attendez-vous à devoir aller les visiter à plusieurs reprises et à les recevoir à votre tour.

Tableau des continents

Pour connaître la culture d'un pays, reportez-vous aux pays colonisateurs.

Afrique

- Afrique du Nord (Maghreb) (influence européenne)
- Afrique du Sud (influences hollandaise et britannique)
- Afrique équatoriale française (influence française)
- Afrique noire (partie de l'Afrique habitée par des populations noires)
- Afrique occidentale française :
- Afrique orientale allemande
- Afrique orientale britannique
- Afrique romaine (ensemble des pays d'Afrique du Nord)

Amérique

Il existe différentes cultures :

- Canada français
- Canada anglais
- États-Unis
- Mexique
- Amérique du Sud (origine portugaise)
- Amérique du Sud (origine espagnole)
- Les Premières Nations

Europe

- Europe occidentale
- Europe orientale

Asie

- Asie centrale
- Asie du Sud-Est
- Asie méridionale
- Asie Mineure

Océanie

- Australie (origine britannique)
- Nouvelle-Zélande (origines hollandaise et britannique).

Les règles du savoir-vivre et les coutumes d'ici ne sont pas les mêmes qu'ailleurs; elles sont parfois très différentes, voire déstabilisantes.

Ne tenez pas pour acquis que vos employés savent recevoir les étrangers et vous représentent dignement. Il est donc primordial que vous vous préoccupiez des différences culturelles avant d'entreprendre vos négociations. N'oubliez pas que les continents ne sont pas des blocs homogènes.

11 conseils pour mieux recevoir les personnes d'une autre culture

Les visiteurs peuvent être comparés aux invités que nous recevons à la maison. Que faisons-nous pour leur faire plaisir? Nous tenons à ce que la maison soit propre, que les repas correspondent à leurs goûts et qu'ils soient préparés et servis en toute élégance. Il faut penser de la même façon lorsque nous recevons des visiteurs étrangers pour les affaires. Pour être à la hauteur, il faut connaître ce qu'ils préfèrent. Comment y parvenir? En consacrant du temps en recherches et en lectures sur leurs pays et culture.

1. Faites vos devoirs

Ne recevez jamais un étranger avec qui vous voulez faire affaire sans avoir consacré plus d'une vingtaine d'heures à étudier le pays concerné. Lisez des livres, consultez les sites Internet, l'ambassade ou le consulat du pays. Parlez avec des gens qui y ont déjà fait des affaires.

2. Préparez l'accueil

- Respectez la hiérarchie, la ponctualité et la patience.

- Accueillez vos invités à l'aéroport:
  - Déterminez qui s'en occupera.
  - Choisissez un chauffeur distingué et courtois et une voiture impeccable.
  - S'il y a lieu, ayez un interprète.
  - Voyez à ce que les signaux d'identification soient comme neufs.

- Qui a choisi l'hôtel? Vous ou le visiteur? Confirmez avec l'hôtel la veille de l'arrivée.

- Préparez vos documents: qualité, couleur, langue, traduction.

- Offrirez-vous des cadeaux? À quoi s'attendent-ils?

- Avez-vous planifié des visites industrielles?

- Avez-vous planifié des activités sociales après les heures de travail?

- Si les conjoints sont présents, avez-vous prévu des visites touristiques?

- Informez votre chauffeur d'accompagner les visiteurs à leur hôtel, de les aider avec leurs bagages, de rester près de la réception tant que l'inscription n'est pas terminée. Ensuite seulement, vous les laisserez avec les préposés de l'hôtel. Essayez de ne pas prévoir d'activités la même journée que l'arrivée. Si vous avez prévu une activité, allez vous-même chercher les visiteurs ou envoyez quelqu'un du bureau. Ne les laissez pas à eux-mêmes, à moins qu'ils ne connaissent bien la ville et qu'ils puissent se déplacer seuls. Posez-vous la question avant de déterminer qui agira comme chauffeur: un homme ou une femme? Si vos visiteurs sont d'origine arabe ou asiatique, peut-être devriez-vous choisir un homme plutôt qu'une femme. À vous de décider! Je sais que certains

d'entre vous ne seront pas d'accord. Cette dernière sugges-
tion est faite simplement dans le but de rendre les visiteurs
à l'aise. N'oubliez pas que l'étiquette consiste à être soi-même
à l'aise et à rendre les autres à l'aise. Marquez des points dès
l'arrivée des visiteurs.

3. Établissez la communication

Prenez votre temps et observez. Soyez calme, respectueux et
discret. Soyez à l'écoute.

Posez des questions. Ne faites pas de remarques sur le comportement, la langue ou l'accent de vos invités.

4. Utilisez à bon escient les moments de silence

Profitez des moments de silence pour faire de l'ordre dans vos
idées. Concentrez-vous. Dans les pays asiatiques, le silence est
très important.

5. Dites quelques mots de la langue du pays de vos visiteurs

Montrez votre intérêt, cela facilite la conversation et aide à gagner la confiance de vos visiteurs.

6. Utilisez un langage clair

Évitez le joual ou le *slang*. Parlez lentement. N'utilisez pas d'acro-
nymes. Regardez la personne avec qui vous négociez et non
l'interprète.

7. Soyez un hôte parfait et socialisez

Invitez les gens pour des sorties sociales, des dîners, des visites
touristiques, des cocktails. Ayez des délicatesses envers vos visiteurs ; par exemple, offrez le thé aux Asiatiques et aux Britanniques,
le café corsé aux Arabes, le thé glacé et les boissons gazeuses
aux Américains.

8. Donnez des cadeaux... ou non

Tous les pays vous diront qu'ils ont une politique de non-cadeaux. Mais, dans les livres ou sur les sites Internet, ils vous donnent tous une liste d'articles qu'ils désireraient recevoir.

Quand en donner?

Pour plusieurs, les cadeaux sont donnés lors de la période des fêtes ou encore avant ou après la signature d'une entente importante. Certains visiteurs vous offriront leur cadeau à l'arrivée et d'autres, au départ. Prévoyez et ayez quelques cadeaux en réserve.

À qui?

Vous donnerez des cadeaux aux personnes qui vous en ont offert. Si vous désirez prendre les devants, allez-y! Documentez-vous avant de faire votre choix. Ne laissez pas la décision à votre adjointe, à moins qu'elle ne soit au courant. En plus du budget, elle devrait connaître votre intention. Désirez-vous remettre un cadeau personnel, un cadeau-souvenir ou un article promotionnel?

Comment les donner?

Le choix des emballages est important. Documentez-vous à ce propos. Le papier d'emballage susceptible de convenir à tous est le papier doré agrémenté d'un ruban doré. Soyez discret lorsque vous remettez un cadeau à un visiteur étranger. Il préférera le recevoir lors d'une sortie sociale, au restaurant plutôt qu'au bureau devant les participants aux réunions.

Comment les recevoir?

En Amérique, nous ouvrons les cadeaux devant les personnes qui nous les offrent. Ce n'est pas la coutume dans tous les pays. Lorsque vous ouvrez votre cadeau, mentionnez que c'est la coutume ici. De cette façon, les gens ne penseront pas que vous manquez de savoir-vivre.

Quoi offrir ?

Il existe trois catégories de cadeaux:

- L'article promotionnel. Si vous en avez reçu un, offrez-en un. Cependant, ces articles sont considérés comme des objets publicitaires plutôt que comme des cadeaux.

- Le cadeau-souvenir. Si un visiteur vous offre un cadeau-souvenir de son pays, offrez-en un en retour.

- Le cadeau personnel. C'est plutôt rare qu'on offre un cadeau personnel, mais cela peut se produire. En retour, faites de même. Il faudra peut-être vous renseigner pour connaître les goûts de la personne à qui vous offrirez le cadeau.

Évitez les faux pas en matière de cadeaux

Pour éviter les faux pas, renseignez-vous sur les us et coutumes du pays où vous vous rendez ou qui vous rend visite.

Les cadeaux protocolaires

Aux diplomates, il est de mise d'offrir des objets représentant la culture locale: des figurines, des statuettes, des sculptures. Des invitations à un spectacle, à un événement sportif ou à un repas gastronomique sont de bon ton.

Les cadeaux aux fonctionnaires

Les fonctionnaires ne peuvent accepter de cadeaux que si leur valeur est minime: objets promotionnels, repas légers. Il faut vérifier les règles du protocole de façon à ne pas compromettre l'intégrité des gens.

Le cadeau promotionnel le plus tendance présentement est l'objet électronique.

9. Respectez la hiérarchie

Dans certains pays, le respect de la hiérarchie marque profondément les relations de travail. Il importe donc de bien en connaître les enjeux et les règles d'étiquette. Assurez-vous que vos clients et invités locaux ou étrangers sont bien reçus. Préoccupez-vous des titres car, dans certains pays, ils sont très importants. Apprenez les formules de présentation.

10. Faites attention à la ponctualité

La notion de ponctualité varie d'un pays à l'autre; ne faites pas d'horaire trop chargé.

11. Orchestrez le départ des invités

Nous n'accordons pas assez d'importance au départ des invités. Pourquoi devrions-nous le faire? Parce que si la première impression est importante, la dernière, elle, est déterminante. Si vous avez pris la peine d'envoyer un chauffeur accueillir vos invités, il faut faire de même au départ. Il sera mal vu de les laisser à eux-mêmes et de les envoyer par taxi. L'important, c'est de vous occuper de vos invités au moment de leur arrivée jusqu'à leur départ. Je me souviens de mes nombreux voyages en Californie et de l'accueil de *star* qui m'était réservé à l'arrivée et de l'accompagnement à mon départ. Même si je ne suis pas une vedette, j'étais dans la ville des *stars* et c'est leur façon de faire. Qui s'en plaindra?

La diversité culturelle

La culture d'un peuple touche tous les aspects de la vie, de la nourriture que nous assimilons aux vêtements que nous portons. Les gens d'affaires qui transigent sur le plan international le savent plus que quiconque. Un faux pas ou un mot dit au mauvais moment peuvent mettre en danger une entente, un règlement, un contrat.

Les difficultés entre les entreprises occidentales et les entreprises chinoises sont légendaires; la plupart d'entre elles sont attribuables aux différences culturelles.

Dans les différences culturelles, il faut prendre trois points en considération :

- la façon de penser ;
- le comportement ;
- la manière de gérer les conflits.

Voici quelques exemples : la France est reconnue pour son esprit logique ; l'Amérique latine, pour son côté émotif ; et l'Amérique du Nord est axée sur le problème et la prise de décisions rapide.

Les Asiatiques misent sur l'importance d'établir une relation de confiance avant d'amorcer une relation d'affaires. Toutes les facettes du protocole sont primordiales au Japon et en Chine.

Les Nord-Américains, quant à eux, s'attaquent au problème même plutôt que de prendre le temps de développer une relation. Pour eux, le temps, c'est de l'argent et l'argent, c'est l'affaire des Américains.

Ce qu'il faut connaître d'un pays

Lorsque vous vous donnez la peine d'apprendre la culture d'un pays, voici les points importants à approfondir :

- la culture générale du pays ;
- l'hospitalité ;
- la liberté d'expression ;
- le comportement ;
- la conversation ;
- les noms et les titres ;
- les cartes professionnelles ;
- les poignées de main ;
- les rendez-vous ;
- les repas ;
- les remerciements ;
- la façon de recevoir au restaurant ;
- les femmes et les affaires.

L'Europe en général

En Europe, la poignée de main est de rigueur tant pour les femmes que pour les hommes. Lors de rencontres sociales ou d'affaires, les hommes attendront que les femmes présentent leur main avant d'en faire autant. En Amérique du Nord, en affaires, la femme ou l'homme tend la main lorsque l'occasion se présente, sans attendre que ce soit la femme qui fasse en premier le geste.

Dans certains pays, les hommes s'embrassent sur les deux joues, n'en soyez pas surpris. En France, on s'embrasse sur les deux joues alors qu'en Belgique, on s'embrasse trois fois.

Les Européens respectent les aînés. Ils se lèvent lorsqu'une personne âgée entre dans une pièce et ils lui laissent l'initiative de la conversation.

La tenue vestimentaire est importante. Les tenues classiques sont: le costume de couleur sombre et la cravate discrète, les tailleurs pour les femmes.

La plupart des Européens sont amateurs d'art. Si vous êtes reçu dans leur pays, ne soyez pas surpris d'être invité à un événement culturel, que ce soit au concert ou au théâtre. Au concert, il est de mise de porter la tenue de soirée ou un costume sombre. Au théâtre, on porte la tenue de ville. Oubliez les vêtements sport. Lorsque vous les recevrez ici, pourquoi ne pas leur offrir un événement culturel en cadeau?

Les repas du soir peuvent durer de deux à quatre heures. Il ne s'agit pas d'une sortie bâclée. Si vous avez déjà été invité à un dîner dans une résidence privée à l'étranger, n'oubliez pas de remettre la politesse lorsque ces mêmes personnes vous visiteront.

Lorsque vous les recevrez, ils trouveront peut-être bizarre que vous leur offriez de visiter la maison. Informez-en votre conjoint. Cette coutume n'est pas répandue à l'étranger. Comme les apéritifs sont différents d'un pays à l'autre, faites des suggestions pour rendre les gens à l'aise.

Si les enfants sont présents, assurez-vous de leur coopération. Aussi, il ne faut pas que les animaux de compagnie rendent les visiteurs mal à l'aise.

La culture québécoise

Connais-toi toi-même
et tu connaîtras l'Univers et les dieux.

Socrate

Avant d'apprendre à recevoir correctement, il faut se définir et se connaître comme peuple. Qui sommes-nous ? Comment nous comportons-nous au quotidien ? Comment recevons-nous les étrangers ? Comment devrions-nous le faire ? Qu'est-ce que les visiteurs étrangers devraient savoir de nous avant de nous visiter ?

J'ai brossé pour vous un tableau de la culture québécoise.

Quelques généralités

On dit des Québécois qu'ils sont généreux et qu'ils aiment recevoir. Ils sont ouverts aux marchés mondiaux, s'intéressent aux cultures étrangères et voyagent de plus en plus. Les Québécois jouissent d'une excellente réputation à l'étranger comparativement à nos voisins du Sud.

Les visiteurs sont généralement impressionnés par nos grands espaces et aiment profiter des sports d'hiver : le ski et les traîneaux tirés par des chiens. Les Québécois ne sont aussi patriotiques que les Américains ; ils ne font pas l'usage intensif du drapeau comme eux.

Les Québécois se considèrent comme tolérants face aux autres peuples et aux diversités religieuses. Mais certains sujets peuvent les incommoder: accommodement raisonnable, port du voile, symboles religieux.

Les Québécois sont plus démonstratifs que les Canadiens anglais, plus chaleureux aussi. Ils utilisent des gestes ouverts, se rapprochent des gens et peuvent même toucher leur interlocuteur. L'accolade ou la bise semblent devenir des pratiques courantes en affaires, mais ce geste ne semble pas apprécié de tous. Les hommes disent se sentir obligés de faire la bise et les femmes disent la subir.

L'hospitalité

Les gens d'affaires québécois reçoivent la plupart du temps au restaurant et à l'heure du lunch (repas du midi, aussi appelé déjeuner en France). Cela dure environ une heure et demie, il est assez léger et de plus en plus sans alcool. Le repas du midi comporte trois services, incluant le dessert. Il y aura du pain et du beurre sur la table et une assiette à pain sera placée à la gauche de l'assiette.

Les Québécois sont de plus en plus de fins connaisseurs de vin. Ils accompagnent le repas du midi d'un verre de vin ou d'eau minérale.

Le repas du soir (appelé souper au Québec et dîner en France) est plus copieux et plus arrosé. On y compte au moins quatre services. Ne soyez pas surpris d'y retrouver l'assiette à pain ainsi que le beurre avec couteau à tartiner, la salière et la poivrière sur la table.

Les Québécois reçoivent peu à leur résidence. Si vous recevez une telle invitation, considérez cela comme un honneur. À ce moment-là, apportez des chocolats, une bouteille de vin, une bouteille de spiritueux ou des fleurs. Les roses rouges sont réservées aux occasions sentimentales. Les œillets ont la réputation de porter malheur. Ne donnez pas de parfum à l'hôtesse ni de jouets de guerre aux enfants.

La langue

Le Québec est une province officiellement francophone et les réglementations concernant l'utilisation du français sont assez sévères. Les gens parlent le français, mais ils ont leur propre accent. Ne vous attendez pas à entendre le même français qu'en France.

Il en va de même pour le Canada anglais. L'accent n'est pas l'accent britannique. Il se rapproche beaucoup plus de l'accent de l'est des États-Unis.

Cependant, les dirigeants et les employés des entreprises situées dans les grandes villes parlent les deux langues officielles du pays : le français et l'anglais.

Assurez-vous que les documents que vous soumettez aux entreprises québécoises sont en français ou en anglais. Certaines d'entre elles voudront les documents dans les deux langues officielles du Canada.

Évitez de parler dans une langue que les Québécois ne comprennent pas, car ils considéreront cette attitude comme un manque de savoir-vivre. Ils devront en retour avoir la même considération à votre égard.

La liberté d'expression

Dans les réunions, tous peuvent exprimer librement leurs opinions, tant les femmes que les hommes.

Le comportement

Dans les situations d'affaires, les Québécois sont conservateurs et calmes. Sans être avares de compliments, ils les expriment plutôt difficilement. Ils n'aiment pas les arguments ou l'agressivité propres à certaines cultures. Ils n'apprécient pas les gens qui crient ou qui haussent le ton. La tenue vestimentaire est plutôt conservatrice dans les milieux d'affaires.

La conversation

Les Québécois aiment parler de différents sujets : la température, le sport, le séjour des invités. Certains sujets demeurent tabous : la religion, le sexe, l'argent, la guerre et la politique. À ce propos, le Québec ayant fait quelques tentatives infructueuses pour se séparer du reste du Canada, vous comprendrez qu'il est recommandé d'éviter le sujet.

Les expressions courantes

On utilise ces expressions :

- « Bonjour », « *Good morning* ». Certains diront « Bon matin » ;
- « Bon après-midi », « *Good afternoon* » ;
- « Bonsoir », « *Good evening* » ou « *Goodnight* » ;
- « Salut » ou « Bonjour » « *Hi* » ;
- « Allô », « *Hello* » ;
- « Comment allez-vous ? », « *How are you ?* » ;
- « Bien, merci », « *Fine, thank you* ».

Les affaires

Les Québécois sont de bons négociateurs, beaucoup plus calmes que les Américains. Ils sont structurés et travaillent en général selon un plan précis. Inutile de leur donner des prix qui leur paraîtront abusifs ; ils s'attendent à avoir le juste prix. Ils sont fiables et bien informés. Ils possèdent les outils les plus modernes et sont à la fine pointe de la technologie. Ils sont déterminés et apprécient des résultats assez rapides, car ils n'aiment pas perdre leur temps. Ils sont assez directs et vous donneront l'heure juste. Ils ont appris à dire non lorsque c'est nécessaire. Ils savent écouter et sont assez polis pour ne pas interrompre une conversation ou une présentation. Ils n'aiment pas l'agressivité, mais apprécient le dynamisme. Ils n'aiment pas les sarcasmes ; ils sont plutôt polis. Ils ont en général un bon sens de l'humour.

Les familiarités

Au Québec, nous avons de la difficulté à différencier le tutoiement du vouvoiement. Toutefois, la règle consiste à vouvoyer les étrangers, les visiteurs et les clients. Souvent, entre les collègues de travail, le tutoiement sera utilisé. Toutefois, ne tutoyez pas une personne sans en avoir obtenu le consentement. La même règle s'applique à l'utilisation du prénom au lieu de « Monsieur » ou « Madame ».

Si vous n'êtes pas certain du titre que vous devrez utiliser pour parler à une femme, utilisez « Madame » ; « Mademoiselle » n'est plus utilisé.

Les cartes professionnelles

Les cartes professionnelles peuvent être seulement en français au Québec. L'utilisation du français d'un côté et de l'anglais de l'autre est permise. Si la personne à qui vous présentez votre carte est anglophone, présentez-la du côté anglais et à l'endroit pour que le destinataire puisse la lire sur réception.

Les Québécois échangent leurs cartes professionnelles, mais ils demeurent sélectifs. Si vous présentez la vôtre, ils vous offriront la leur en retour. Ils peuvent également attendre que vous leur demandiez leur carte. Cela est courant chez les dirigeants d'entreprises québécoises.

Les poignées de main

La poignée de main est très utilisée lors des premières rencontres, soit à l'arrivée et au départ. Les hommes ou les femmes tendent la main en premier ; le genre n'a pas d'importance en affaires. Bien que l'étiquette sociale recommande à la femme de tendre la main d'abord, cette façon de faire n'a pas sa place en affaires.

Les gens se regardent dans les yeux lorsqu'il y a une poignée de main pour démontrer leur intérêt et leur sincérité, contrairement à certaines nationalités qui évitent ce contact par respect.

Dans les grandes villes, les Québécois se tiennent assez près des personnes lorsqu'ils donnent la main. Les poignées de main sont franches. Les deux paumes se touchent et les mains sont parallèles. Un bref mouvement de l'avant-bras souligne ce geste de bienvenue ou d'adieu.

Les rendez-vous

Les Québécois sont ponctuels. S'ils vous donnent un rendez-vous à midi, ils seront présents, à moins de circonstances incontrôlables. Ils tolèrent un retard de 10 minutes. Si vous êtes en retard de plus de 20 minutes, il est fort possible que votre hôte québécois ne vous attende pas.

La ponctualité est donc prioritaire. Soyez à l'heure à toutes les réunions ou à tous les rendez-vous d'affaires. Si, pour une raison sérieuse, vous prévoyez être retardé, appelez la personne avec qui vous avez rendez-vous et mentionnez l'heure à laquelle vous prévoyez arriver.

Les réunions ou les rendez-vous se prennent davantage le matin bien que les heures normales de travail soient de 9 h à 17 h, du lundi au vendredi.

Si on vous invite à une réunion lors d'un petit déjeuner, ce sera vers 7 h 30. Les Québécois appellent le petit déjeuner, le déjeuner. Pour éviter les confusions, demandez l'heure à laquelle se tiendra l'événement. On tient souvent des réunions à l'heure du petit déjeuner.

Les cadeaux

Si vous venez de conclure une bonne affaire, il se peut qu'on vous offre un cadeau ou encore que vous désiriez donner un cadeau. Si vous donnez un cadeau de votre pays d'origine, vous le donnerez dès votre arrivée ; ce geste est très apprécié.

Au Québec, les cadeaux sont déballés immédiatement lorsqu'on les reçoit. La même règle s'applique en Amérique du Nord.

Si vous devez acheter des cadeaux localement, les magasins sont ouverts de 10 h à 18 h et certains soirs jusqu'à 21 h. La plupart des magasins sont aussi ouverts le dimanche.

Les repas

Votre hôte donnera le signal du début du repas en déposant sa serviette de table sur ses genoux.

Les Québécois utilisent, en général, la façon américaine de tenir et d'utiliser les couverts. Le couteau est employé pour couper la nourriture ou pour tartiner le beurre. La méthode américaine consiste à couper les aliments avec le couteau dans sa main droite et la fourchette dans sa main gauche. Ensuite, le couteau est déposé sur le bord de l'assiette, côté courbe vers l'intérieur de l'assiette, et la fourchette passe de la main gauche à la main droite. On se sert de la fourchette pointes vers le haut. On coupe jusqu'à trois bouchées à la fois. Certaines personnes qui ont beaucoup voyagé utilisent la méthode européenne ou continentale. Cette méthode consiste à tenir le couteau dans la main droite et la fourchette dans la main gauche durant le repas et l'on coupe une bouchée à la fois. Les pointes de la fourchette sont alors dirigées vers le bas.

Si vous ne désirez pas goûter à certains aliments, dites simplement «Non, merci» ; la culture canadienne permet ce refus. De plus, on peut laisser des aliments dans son assiette sans offusquer qui que ce soit.

L'heure des repas est 7 h 30 pour le petit déjeuner, midi pour le déjeuner et 19 h pour le dîner.

Lorsque vous êtes invité, attendez que votre hôte québécois commence à parler d'affaires.

Au restaurant

Au restaurant, les pourboires ne sont pas compris dans les prix des repas. Ils sont laissés à la discrétion des gens. Le montant suggéré est 15 % du total de la facture, avant les taxes, dans un restaurant moyen ou familial. Pour les restaurants de classe supérieure, le montant du pourboire suggéré est de 20 %. Sachez que des taxes d'environ 14 % sont ajoutées à votre facture.

Depuis le 30 mai 2006, à la suite d'un règlement voté par le gouvernement québécois, on ne fume plus dans les endroits publics, au grand désarroi des fumeurs. La cigarette est interdite dans les endroits commerciaux et publics, ce qui inclut les bars et les restaurants.

Les femmes et les affaires

Les femmes sont présentes dans le milieu des affaires et occupent des postes clés, bien que la parité salariale entre les deux sexes ne soit pas réglée. Les femmes donnent la main tout autant que les hommes et s'attendent aux mêmes égards qu'un homme. Elles reçoivent leurs clients masculins au restaurant et règlent l'addition. Elles participent également aux réunions et émettent librement leurs opinions.

La planification de la date d'un voyage d'affaires au Québec

Évitez la période des fêtes, soit du 20 décembre au 5 janvier, car la majorité des gens célèbrent les fêtes de Noël et du jour de l'An en famille. Il en va de même pour la période des vacances estivales, soit les deux dernières semaines complètes de juillet, période pendant laquelle la majorité des Québécois sont en vacances. Il y a aussi la semaine de relâche scolaire qui se situe approximativement à la dernière semaine de février et à la première de mars. À ce moment, les parents s'absentent des bureaux et organisent des vacances familiales.

La température et les vêtements

La température peut être très chaude et fort humide en été, plus précisément durant les mois de juillet et d'août. La température au printemps est plutôt fraîche (d'avril à juin). Quant au mois de mars, il est imprévisible.

Profitez de la belle saison pour jouer au golf sur les nombreux parcours. Prévoyez des vêtements choisis dans des tissus quatre saisons. Au printemps, optez pour l'imper et le parapluie.

La température peut être très froide en hiver (janvier et février). Celle de l'automne est plutôt froide et humide (octobre, novembre et décembre). Le mois de septembre est plutôt modéré. Profitez de l'hiver pour faire du ski dans les régions du Mont-Tremblant, l'Estrie ou de Québec. Prévoyez des vêtements plus chauds : manteaux, anoraks et couvre-chaussures.

Le transport

L'aéroport Montréal-Trudeau est situé à quelques kilomètres du centre-ville de Montréal. Des autobus font régulièrement la navette. Vous pouvez louer une voiture sur place.

Les gens qui vous reçoivent devraient avoir la courtoisie de vous accueillir à l'arrivée et de vous accompagner au départ.

J'espère que ce bref aperçu de la culture québécoise entrepreneuriale aidera les visiteurs étrangers à planifier leur voyage d'affaires au Québec.

Un tour du monde

La culture, c'est ce qui fait l'humain.

Monica Bellucci

Le but de ce clin d'œil à différentes cultures est de vous inspirer lorsque vous les recevez dans votre entreprise. Vous trouverez suffisamment d'informations pour les rendre à l'aise lors des réunions et des réceptions, et lorsque vous désirez leur offrir des cadeaux. Il ne s'agit pas de changer nos habitudes, mais tout simplement d'ajouter un ou deux petits détails supplémentaires qui leur montreront que nous connaissons leur culture et que nous voulons leur faire plaisir.

Afrique du Nord

Les salutations

- Les Africains du Nord sont chaleureux ; ils se tiennent près des gens.
- Ils donnent la main et peuvent faire la bise après un certain temps ; après quelques rencontres, la bise pourrait remplacer la poignée de main.

La conversation

- Il est impossible d'établir de bonnes relations d'affaires avec les gens du Moyen-Orient sans comprendre le rôle de l'Islam dans les affaires.

- Après la religion, la famille constitue la deuxième valeur importante ; d'ailleurs, elle a le dessus sur les affaires.
- On demande à un collègue arabe comment va sa famille et non comment va sa femme.
- Ils savent très bien décoder le langage des gestes.
- Attention de ne pas dévoiler vos faiblesses par des gestes qui vous trahissent.
- Ne discutez pas de religion ou de politique ; ils apprécient les conversations anodines qui les aideront à mieux vous connaître.

La hiérarchie

- Les Africains du Nord respectent les aînés et les supérieurs.
- Ils connaissent et respectent les bonnes manières et les règles du protocole.
- Ils vous évalueront sur votre façon de vous comporter sur le plan social et en affaires.

La ponctualité

- Vos visiteurs ne seront peut-être pas ponctuels.
- Ils ont l'habitude d'attendre longtemps avant le début d'une activité.
- Planifiez vos rendez-vous longtemps à l'avance et ne soyez pas surpris s'ils les reportent ou les retardent.

Les repas

- Lorsque vous les invitez à dîner (repas du soir), n'oubliez pas qu'ils font des prières en fin de journée et que le dîner aura lieu très tard.
- Les Africains du Nord ont l'habitude de dîners somptueux ; ils goûteront à tous les plats.
- Il vaut mieux commander plus de nourriture que d'en manquer.

- À la fin du repas, ils apprécient le thé sucré ; cela signifie pour eux que le repas tire à sa fin.
- Dans leur pays, ils reçoivent souvent les invités à leur domicile pour le dîner ; ils apprécieraient certainement la même politesse de votre part.
- Très souvent, les épouses sont absentes et le repas dure des heures.
- Ils utilisent leur main droite pour manger.
- Les gens d'affaires utilisent la façon continentale de manger.

Les traits particuliers

- Ce sont des gens très hospitaliers dans leur pays ; ils s'attendent à la même chose lorsqu'ils nous visitent.
- La tenue de ville est de mise pour les affaires.
- Ils sont très fiers et apprécient les gens bien vêtus, symbole de classe.

Les cadeaux

- Si vous complimentez un Arabe sur quelque chose en particulier, il se sentira obligé de vous le remettre. Attention aux compliments !
- Ils apprécient les sorties qui durent longtemps.

Afrique du Sud

Les salutations

- Les Sud-Africains sont assez méfiants vis-à-vis des gens qu'ils rencontrent pour la première fois.
- Ils ont horreur des familiarités et des conversations agitées. Ils sont chaleureux.

- Les gens d'affaires de ce pays n'hésitent pas à donner une bonne poignée de main accompagnée d'une tape dans le dos. Certains donneront une poignée de main plus molle.
- Le contact des yeux est important pour eux.
- Il est impoli de pointer du doigt devant eux.
- Parler avec les mains dans les poches est un geste indigne.
- Fuir le contact physique serait considéré comme une insulte.
- Ils échangent les cartes professionnelles au début de la rencontre.

La conversation

- La plupart des Sud-Africains sont bilingues (anglais et afrikaans); ils ont subi l'influence de l'Angleterre et de la Hollande.
- Ils sont très fiers de leurs sports: le cricket, le rugby, le golf.
- Hochez souvent la tête lors des conversations pour leur montrer que vous êtes à l'écoute.
- En général, ils sont articulés et assez bavards.
- Évitez de parler de racisme ou de sexisme.
- Ils peuvent avoir un accent britannique très fort; si vous avez de la difficulté à saisir leur conversation, ne leur demandez pas trop souvent de répéter car cela pourrait les agacer.
- Surveillez leurs gestes pour savoir si vous les intéressez ou non.
- Ils vous poseront des questions concernant les voyages que vous avez faits ainsi que sur votre famille.

La hiérarchie

- Les Sud-Africains respectent beaucoup la hiérarchie, le protocole, les titres, l'utilisation des noms lors des présentations.
- La distance hiérarchique imprègne toute la société.

- Ils saluent chaque collègue au travail en s'informant de la famille.
- Les hommes se lèvent lorsqu'on les présente pour la première fois.
- Les femmes doivent présenter leur main d'abord, sinon il n'y aura pas de poignée de main. L'homme n'osera pas faire le geste en premier.
- Le rythme des affaires est lent.
- Ils attendront votre permission pour s'asseoir.

La ponctualité

- Les employés des grandes entreprises sont ponctuels ; autrement, les Sud-Africains ne le sont pas.
- Ils peuvent annuler un rendez-vous à la dernière minute.
- S'ils vous font attendre longtemps, cela signifie qu'ils n'ont pas une trop grande opinion de vous.
- Ne montrez pas votre impatience.

Les repas

- Les femmes ne sont pas invitées lors des repas d'affaires ; d'ailleurs, le rôle de la femme n'est pas un rôle public.
- Ils sont carnivores ; ils mangent de l'agneau, du bœuf, des fruits de mer, de l'autruche, des viandes sauvages, de la chèvre, etc. Ils accompagnent leurs repas de bière ou de vin.
- Ils utilisent la façon continentale de manger.
- Ne pointez pas et ne gesticulez pas avec vos couverts.
- La salade est servie après le repas principal.
- Ils ne laissent pas de nourriture dans leur assiette.
- Offrez-leur un café ou un thé au début du repas, cela permet une pause avant de commencer les petites conversations anodines.

Les traits particuliers

- L'Afrique du Sud est industrialisée; on y extrait des minéraux tels que l'or, les diamants, le cuivre et l'argent.
- Les gens de ce pays utilisent une multitude de coutumes et de subtilités culturelles que nous n'avons pas en Amérique.
- La présentation de documents sophistiqués ne les impressionne pas.
- Soyez court et précis dans vos discours, oubliez le visuel.
- La première rencontre sert à établir un contact; ils doivent d'abord décider de vous faire confiance.
- Vous n'obtiendrez pas de décisions spontanées; elles seront longues à venir.
- Ils n'admettent pas ne pas connaître une réponse; ils s'informeront et vous reviendront par la suite.

Les cadeaux

- Lorsque vous aurez développé une relation d'affaires, de petits cadeaux comme un stylo plume de bonne qualité, des accessoires de bureau, une douzaine de balles de golf (si la personne pratique ce sport évidemment) seront appréciés.

Allemagne

Les salutations

- Les Allemands s'inclinent lorsqu'ils saluent.
- Leur poignée de main est brève et ferme.
- Ils regardent vitement les gens dans les yeux lorsqu'ils donnent la main.
- Ils n'accordent pas tellement d'importance à l'échange de cartes professionnelles, mais plutôt aux titres et à la date de fondation de votre entreprise.

La conversation

- La politique et la religion restent des sujets risqués.
- Les Allemands sont en général discrets et n'apprécient pas les questions trop personnelles.
- Le simple bavardage ne fait pas partie de leur culture.

La hiérarchie

- Les Allemands respectent la hiérarchie.
- Les meilleures places sont attribuées aux personnes qui occupent le plus haut rang ou encore aux personnes les plus âgées.
- Lors d'une réunion, le protocole allemand veut que les personnes âgées ou celles qui occupent un poste plus élevé entrent dans la salle de réunion en premier lieu et que les gens ne s'assoient pas tant que le président d'assemblée n'est pas arrivé sur les lieux.

La ponctualité

- Les Allemands sont très ponctuels et très organisés.
- Ils n'apprécient pas les invitations de dernière minute.

Les repas

- Les petits déjeuners sont copieux et ils les prennent à leur résidence ; c'est donc dire que les petits déjeuners d'affaires ne font pas partie de leur culture.
- Le repas du midi est plus classique : potage, repas principal et dessert. Ils ont l'habitude de manger vers 13 h. Le repas du soir est servi à partir de 18 h.
- L'Allemagne est reconnue pour la variété de ses bières et de ses pains.
- On ne discute pas d'affaires à table.
- Ils utilisent la façon continentale de manger.

Les traits particuliers

- Les Allemands arrivent bien préparés à une réunion et ils s'attendent à la même chose de votre part.

- Si vous leur remettez des documents, ils devront être précis et bien détaillés. N'oubliez pas que tout le document sera lu et analysé dans ses moindres détails.

- Ils n'aiment pas les exagérations et n'apprécient pas se sentir poussés à prendre une décision. Ils prendront donc leur temps pour en arriver à une conclusion.

- Ils n'acceptent pas facilement les nouvelles idées et n'aiment pas particulièrement les séances de remue-méninges.

- Ils ne sont ni flexibles ni spontanés. Ils sourient très peu.

- La posture est importante pour eux.

- Évitez de mettre les mains dans vos poches en leur présence.

- Lorsqu'ils répondent au téléphone, ils disent leur nom de famille seulement.

Les cadeaux

- Ne donnez pas de cadeau avant d'en avoir reçu un de leur part.

- Les cartes de Noël sont populaires en Allemagne. Envoyez une carte en papier et personnalisée ; n'utilisez pas les cartes électroniques, synonymes d'affaires bâclées. Cela ne s'applique pas seulement à ce pays, mais à tous les pays.

- Évitez les cadeaux à connotation personnelle : vêtements, parfums, objets personnels ; optez plutôt pour un stylo plume, des articles de bureau, des liqueurs ou des vins d'ici.

Angleterre

L'Angleterre, l'Écosse et le pays de Galles sont les pays qui constituent la Grande-Bretagne. En y ajoutant l'Irlande du Nord, cela devient le Royaume-Uni.

Les salutations

- On dit que l'Angleterre est le pays de la poignée de main et qu'on se vante même d'en être les inventeurs.
- Les hommes attendent que les femmes présentent d'abord la main.
- Leur poignée de main est franche, sans beaucoup de pression ; toutefois, dans les situations sociales, elle est plus timide.
- Le contact des yeux est important, surtout si vous désirez prouver quelque chose.
- Les salutations peuvent paraître distantes et détachées.
- Prévoyez beaucoup de cartes professionnelles ; on les échange allègrement.

La conversation

- Comme entrée en matière, on parlera de la température.
- Il y a quatre sujets à éviter : la religion, la politique, la maladie, la famille royale ; d'autres sont à considérer : l'actualité, l'histoire de leur pays, la culture, le sport.
- Les Britanniques ont horreur des opinions tranchantes.
- Utilisez des gestes très conservateurs.
- Ils aiment les gens qui sont bien articulés et qui maîtrisent la langue anglaise. Ils ne sont guère tolérants envers les personnes qui ne font pas l'effort de bien parler leur langue. Donc, pour les séduire, il faut maîtriser leur langue.

La hiérarchie

- Ils accordent peu d'importance aux titres en général, à l'exception des détenteurs de doctorat, des médecins et des membres du clergé. Ils connaissent bien les règles du protocole et s'y conforment.

La ponctualité

Ils sont très ponctuels et ils tolèrent un retard de 10 minutes, pas plus.

Les repas

- Les Britanniques boivent du thé au petit déjeuner. Le repas du midi est servi entre midi et 14 h. Le thé est servi à 17 h, mais au repas du midi et du soir, on opte pour le café.
- Le *high tea* est servi vers 16 h; il est plus copieux que le simple thé. Ils utilisent la façon continentale de manger.
- Les épouses sont souvent invitées lors des repas d'affaires.
- Les Britanniques sont des amateurs de bière et de vin. À la fin d'un repas, ils apprécient un porto ou un sherry.
- On leur assigne des places séparées des conjoints afin de favoriser la conversation et de mieux connaître les gens.

Les traits particuliers

- Les documents se rapportant au travail devront être honnêtes.
- Ils ont horreur des formules trop agressives et de la vente sous pression.
- Ils sont directs et disent le fond de leur pensée; ils peuvent même être choquants ou blessants pour certaines personnes.
- Ils n'ont pas peur de dire non.
- Les relations sont basées sur des faits et non sur les émotions.

- Ils apprécient une certaine forme d'humour; ils peuvent être ironiques, voire sarcastiques, dans certaines circonstances.
- Les hommes se lèvent lorsqu'une femme se lève.
- La posture est importante pour eux.
- La tenue vestimentaire est sobre et les vêtements sont de bonne qualité.

Les cadeaux

- Les cadeaux ne font pas partie de la culture britannique; cependant, ils acceptent une invitation au théâtre ou au restaurant.
- Les cartes de vœux sont populaires.
- Si on vous offre un cadeau, ce sera pendant la période des fêtes.
- N'offrez rien de trop cher.

Arabie Saoudite

Les salutations

- Les Arabes ne sont pas trop réceptifs envers les gens de l'extérieur.
- Ils pratiquent la poignée de main avec les hommes et ils se tiennent très près des gens. Ils pourront vous toucher l'épaule et vous embrasser sur les deux joues si vous êtes un homme.
- Il est possible qu'ils ne donnent pas la main aux femmes; c'est une question de culture et de religion. Il ne faut pas s'en offusquer.
- Le contact des yeux est très rapide ou inexistant.
- Ne reculez pas lorsqu'un Arabe s'approche de vous pour vous parler : ce serait une grave insulte.
- Ils échangent des cartes professionnelles avec les hommes.

La conversation

- Ne soyez pas timide avec eux.
- S'ils parlent fort, haussez le ton vous aussi et avec autant de vigueur et de conviction qu'eux. Dites-vous que c'est culturel.
- Évitez de parler de la politique, de la guerre ou de la situation du pétrole. Apprenez l'art de dévier la conversation.

La hiérarchie

Comme dans tous les pays d'Asie, le respect de la hiérarchie est important, surtout envers les aînés et les détenteurs de titres.

La ponctualité

- Les Arabes ne sont pas toujours ponctuels.
- Ils peuvent se faire accompagner de gens que vous n'attendiez pas et s'attendent à ce que vous les receviez tous avec courtoisie.
- Il est toujours prudent de prendre les rendez-vous à l'avance et de les confirmer quelques jours avant la rencontre.
- Ne tentez pas d'obtenir des rendez-vous d'affaires durant le mois des fêtes religieuses ou encore le vendredi.

Les repas

- Les Arabes ont des restrictions alimentaires selon leur religion.
- Les petits déjeuners d'affaires ne font pas partie de leur culture.
- En général, ils ne mangent pas de porc, qui est considéré comme souillé, et ne boivent pas d'alcool.

Les traits particuliers

- Leurs décisions sont prises en groupe et non individuellement.
- Les réunions débutent doucement, avec des petites conversations anodines.
- Les Arabes s'informent de votre santé, de votre séjour et du voyage.
- Durant la réunion, attendez-vous à des interruptions.
- Pour conclure une réunion, servez-leur un bon café bien corsé.
- Ils seront surpris de voir des femmes assister aux réunions, prendre la parole et émettre librement une opinion ; préparez-les à cette éventualité. Cela ne fait partie de leur culture, mais expliquez-leur que c'est courant ici.
- Les femmes devraient adopter une tenue vestimentaire et un maquillage sobres.
- Il faut leur accorder assez de temps pour qu'ils puissent se faire une opinion.
- Ils sont secrets en ce qui concerne leur vie familiale.
- Ils aiment les flatteries et les compliments, et accordent beaucoup d'importance à l'image.
- Il ne faut jamais leur faire perdre la face lors de situations difficiles ; ils sont très fiers.
- Servez-vous de votre main droite.
- Ne pointez jamais du doigt.
- Ne montrez pas le dessous de vos pieds lorsque vous êtes assis ; les deux pieds doivent être posés à plat sur le sol.

Les cadeaux

- Les Arabes apprécient les cadeaux, mais ils ne les jugent pas nécessaires.
- Ne donnez pas de boisson, car cela est défendu par l'Islam.

- Ne donnez pas de cadeaux à l'épouse de votre vis-à-vis arabe.
- Ils connaissent la qualité ; l'argenterie, la porcelaine, le cristal et le cachemire leur plaisent. Ils apprécient également les grandes marques.
- Les objets en cuir leur plairont, à l'exception de la peau de porc.

Argentine

Les salutations

- Les Argentins vénèrent les aînés.
- Ils sont très sociables et chaleureux, et aiment faire la fête.
- Ils vous donneront une poignée de main ferme et franche, car cela influencera l'opinion qu'on se fera de vous.
- L'homme attend que la femme présente sa main avant de présenter la sienne. Ne soyez donc pas surprise, Madame, qu'on vous ignore si vous ne présentez pas votre main.
- Les hommes peuvent aussi s'embrasser, même s'ils donnent la main.
- Les femmes utilisent les deux mains lorsqu'il y a des poignées de main ; elles s'embrassent également sur les joues.
- Le contact des yeux lorsqu'il y a des poignées de main et des présentations est important ; il est soutenu et s'accompagne d'un large sourire.
- Lors d'une première rencontre, une simple poignée de main est nécessaire.
- Lorsque vous recevez une carte professionnelle, regardez-la et placez-la dans votre porte-cartes avec respect.
- Ils apprécieront que votre carte soit en espagnol.

La conversation

- Les Argentins aiment discuter de politique et de religion ; toutefois, ne vous impliquez pas dans ce genre de discussions, déviez la conversation. Parlez plutôt de leur culture et lisez sur leur pays avant de les accueillir.
- Ils peuvent être osés dans leurs remarques.
- Ils peuvent faire des commentaires sur votre poids, votre apparence, votre coiffure. Dites-vous que s'ils vous parlent d'une façon quasi personnelle, c'est qu'ils se sentent à l'aise avec vous.

La hiérarchie

- Ils ont un grand respect pour la hiérarchie et les aînés.
- Les titres sont très importants pour eux : docteur, ingénieur, professeur, architecte, avocat, Monsieur, Madame.
- Généralement, le titre est suivi du nom de famille.
- Présentez les gens les plus importants en tout premier lieu.

La ponctualité

- Ils ne sont pas très ponctuels et seront même en retard de 30 à 45 minutes.
- Apprenez à planifier votre temps en conséquence, et tant mieux s'ils se présentent à l'heure.
- Ne vous montrez jamais fâché ni offensé de leur retard.

Les repas

- Le petit déjeuner d'affaires ne fait pas partie de leur culture.
- Dans leur pays, une pause a souvent lieu entre 16 h et 18 h ; on y sert du café et un dessert.
- Si vous les invitez au restaurant, faites-le sur une base sociale. Oubliez les affaires.

- Ils voudront vous connaître sur une base plus personnelle avant de faire des affaires avec vous. Si vous portez un toast, faites-le au début du repas et dites : « *Salud !* »
- Ne soyez pas trop pressé de partir du restaurant, socialisez !
- Ils utilisent la façon continentale de manger et si vous vous comportez autrement, ils penseront que vous manquez d'éducation.

Les traits particuliers

- Les Argentins accordent beaucoup d'attention à l'apparence. Ils vous évalueront en se fiant à votre tenue vestimentaire et à la façon de vous comporter à table et lors des réunions.
- Ils fument encore beaucoup dans ce pays.
- Il faudrait les informer avant leur séjour des réglementations locales concernant l'interdiction de fumer.
- Ne vous assoyez jamais avant votre invité, car cela dénote un manque particulier d'éducation.

Les cadeaux

- Vous recevrez et donnerez des cadeaux seulement lorsque les relations seront bien établies.
- Les Argentins offrent aux femmes des parfums ou des articles de grandes marques et aux hommes, également des articles de grands noms. Ne soyez donc pas surpris de recevoir des cadeaux un peu plus personnels.
- Lorsque vous donnez un cadeau à votre tour, offrez de beaux livres illustrant les paysages d'ici, l'art canadien ou québécois. Les sculptures inuites ont toujours leur place.
- Donnez des cadeaux qu'ils pourront rapporter dans leur pays (donc pas de nourriture ou de plantes).

Australie

Les salutations

- N'attendez pas qu'on vous présente, faites-le vous-même.
- Les Australiens sont très accueillants; montrez-vous donc accueillants lorsque vous les recevrez.
- Ils donnent la main à l'arrivée et au départ.
- Ils peuvent se montrer plus réservés avec les femmes.
- N'attendez pas pour remettre votre carte professionnelle, faites-le à l'arrivée.
- Ils pratiquent le contact direct des yeux; pour eux, il s'agit d'une marque de confiance.

La conversation

- Les Australiens aiment parler de religion, de politique et de sport.
- Ils peuvent être assez provocateurs dans leurs remarques.
- Ils ne sont pas vantards et n'apprécient pas les gens qui le sont.
- N'hésitez pas à exprimer vos opinions, car eux ne sont pas gênés.
- Le sujet des aborigènes semble toujours tabou, évitez-le.
- N'essayez pas d'impressionner un Australien, c'est peine perdue; il évaluera votre compétence d'après vos accomplissements plutôt que par vos belles paroles.
- Ils sont assez animés.
- Respectez leur espace vital, n'envahissez pas leur bulle.

La hiérarchie

- Les Australiens ne s'en font pas avec la hiérarchie et ne se valorisent pas par leurs titres.
- Ils trouveront arrogants les gens qui parlent de leurs réussites.
- Ils sont très amicaux, peu importe le niveau hiérarchique.
- Soyez modeste, détendu, amical et on vous acceptera.

La ponctualité

- Les Australiens sont ponctuels et s'attendent à la même politesse de votre part. Sinon, ils pourront interpréter votre retard comme un manque d'organisation de votre part.
- Il vaut mieux prendre vos rendez-vous à l'avance; il vaut mieux prévenir que guérir.

Les repas

- Même si un Australien vous invite à dîner, ne tenez pas pour acquis qu'il paiera l'addition.
- Leurs manières à table sont semblables à celles des Nord-Américains et ils sont un peu plus détendus.
- Les Australiens mangent des mets italiens, thaïs, chinois ou européens.
- Si vous organisez un barbecue chez vous et que vous les invitez, ils en seront ravis.
- Ils ne sont pas très généreux en ce qui concerne les pourboires.

Les traits particuliers

- Les Australiens sont ponctuels.
- Ils n'aiment pas parler de leur vie privée.
- Ils n'ont aucune difficulté à dire non.

- Ils prendront le temps de parler de tout et de rien avant le début de la réunion pour développer des liens de confiance.
- Ils prendront leurs décisions en fonction des politiques de l'entreprise.
- Les hommes ne traitent pas toujours les femmes comme leurs égales; l'écart salarial et l'accès à des postes de prestige existent toujours.
- Ils sont de bons collaborateurs et préfèrent ne pas être poussés à prendre une décision.
- Les dates butoirs les rendent nerveux; il importe donc d'être flexible.
- Ils manifesteront leur confiance envers les gens qui occupent des postes similaires aux leurs, même s'ils ne croient pas tellement à la hiérarchie.

Les cadeaux

- Même si les cadeaux ne font pas partie de leurs mœurs, voici ce qu'ils apprécieront: un livre illustré de votre pays ou de votre région, ou encore sur l'art et la culture, les produits régionaux, des articles de bureau.
- Le geste est plus important que le prix du cadeau.

Belgique

Les salutations

- La Belgique a des habitudes proches de celles de la France, mais elle n'aime pas y être comparée.
- On se serre la main à l'arrivée et au départ, tant en société qu'en affaires.
- Leur poignée de main est légère et brève.
- Le contact des yeux est important.

- Ils peuvent aussi se faire la bise ; le nombre de bises échangées est de trois. Cette coutume varie d'une région de la Belgique à une autre.
- Les hommes se font la bise entre eux, n'en soyez pas surpris.

La conversation

- La signification de certains mots diffère de la nôtre. Si vous entendez l'expression « donner une baise », cela signifie « embrasser » ; « mettez-vous » veut dire « asseyez-vous ». On utilise le mot « sacoche » plutôt que « sac à main ». Vous entendrez souvent « S'il vous plaît ». On y prête plusieurs significations : « comment, pardon, plaît-il, vous dites, merci, voici... » On emploie également les mots septante (70) et nonante (90).
- « Je voudrais aller à la cour » est la façon de demander les toilettes.
- Évitez toute allusion aux problèmes politiques et linguistiques du pays ainsi qu'à la religion. Parmi les sujets de conversation, citons les sports – cyclisme et football –, l'utilisation des pigeons voyageurs (colombophilie), leurs bières, l'art et l'architecture de leurs bâtiments.

La hiérarchie

- Les Belges sont très conscients de leur rang hiérarchique dans l'entreprise.
- La politesse est de mise envers les supérieurs.
- Ils seront dans doute surpris de voir quelqu'un entrer dans votre bureau sans frapper d'abord.

La ponctualité

Ils sont généralement très ponctuels. Comme dans tous les pays, il y a des exceptions, mais ils sont respectueux des horaires.

Les repas

- Le petit déjeuner d'affaires ne fait pas partie de la culture belge.

- Si vous invitez des Belges à souper à votre résidence, ne soyez pas surpris de les voir arriver avec un bouquet de fleurs champêtres ou des orchidées, car c'est ce qu'ils font dans leur pays. Ils n'offriront jamais de chrysanthèmes, car elles représentent la mort.

- Ils pourront vous apporter en cadeau une boîte de précieux chocolats fourrés belges, les pralines.

- Ils utilisent les expressions déjeuner, dîner et souper.

- S'ils expriment leur désir d'aller au café, cela signifie aller prendre une bière.

- S'ils commandent une « mort subite », il s'agit d'une sorte de bière à fermentation spontanée dont l'effet doit se rapprocher du nom.

- S'ils vous disent « J'irais bien manger dans une friture », il s'agit d'un restaurant modeste où l'on sert, entre autres, des moules-frites.

- Ils aiment le bon vin et la bonne cuisine.

- Ils sont fiers de leurs bières, pourquoi ne pas leur faire goûter les nôtres ? Nous en avons d'excellentes. Ils sont également amateurs de gin.

- Ils utilisent la façon continentale de manger.

- L'assignation des places à table ou au restaurant demeure primordiale. Elle est dictée par le respect de l'âge et de la hiérarchie.

Les traits particuliers

- Lors de réunions, distribuez l'ordre du jour à chaque participant.

- Soyez préparé et évitez les interruptions, ce qui dénote un manque d'organisation.

- Ne quittez pas une réunion pour répondre à un appel urgent, pour faire une photocopie ou pour toute autre raison, cela ne serait pas apprécié de vos visiteurs.
- Les premières rencontres seront plutôt de nature sociale; les Belges aimeront vous connaître avant de faire affaire avec vous.
- Leur congé annuel dure un mois, soit en juillet, soit en août.

Les cadeaux

- Offrir ou recevoir des cadeaux ne fait pas partie de la culture des Belges.
- Si vous désirez offrir un cadeau à un client en particulier, ne donnez pas d'articles promotionnels et n'y joignez pas votre carte professionnelle.
- Ils aimeront sans doute un beau livre sur votre pays, votre ville ou leurs loisirs préférés. Une bonne bouteille de vin ou de liqueur serait appréciée ainsi qu'une invitation au restaurant.
- Ils ouvriront leur cadeau devant vous; faites de même si on vous offre un cadeau.

Brésil

Les salutations

- Les Brésiliens vous feront l'accolade lorsqu'ils vous connaîtront mieux; les femmes se font la bise entre elles si elles se connaissent déjà.
- Ils se tiennent très près des gens et peuvent sembler envahir votre espace vital.
- Ils donnent la main à l'arrivée et au départ; il s'agit d'une pratique très importante pour eux. Ne pas leur donner la main pourrait être considéré comme une insulte.
- Le contact des yeux est primordial et ils le maintiennent pendant toute la durée de la poignée de main qui se veut

assez longue. Ils s'attendent à ce qu'une personne sincère les regarde dans les yeux.

- Ils apprécient également échanger les cartes professionnelles ; ayez-en une bonne provision.
- S'ils soulignent un nom sur leur carte, cela signifie que vous pouvez vous adresser à eux en vous servant du nom souligné.

La conversation

- Les Brésiliens parlent rapidement et sont très animés ; laissez-les s'exprimer sans tenter de les interrompre.
- Pour leur faire plaisir, apprenez quelques mots de portugais.
- Ils vous parleront de sujets assez privés et vous poseront des questions personnelles. Répondez vaguement tout en demeurant discret sur le type de questions que vous leur poserez à votre tour.
- Parmi les sujets de conversation, notons : les voyages, la nourriture, l'industrie, la danse, l'artisanat et leur sport national, le soccer. Ne leur parlez pas de l'Argentine qu'ils considèrent comme le pays rival.

La hiérarchie

L'utilisation des titres est très importante pour eux et ils ont un grand respect pour la hiérarchie.

La ponctualité

- Les Brésiliens ne sont pas des plus ponctuels ; dites-vous que c'est culturel.
- Lors d'une réunion, prévoyez du temps pour les retards, soit à l'arrivée, soit au départ ; de cette façon, vous pourrez rentabiliser votre temps.

Les traits particuliers

- La culture portugaise est bien différente de la culture espagnole. Ils ne se considèrent pas comme des hispaniques et ne se gênent pas pour le dire. Aux yeux d'autres pays, les hommes passent bien souvent pour des machos.

- Ils misent beaucoup sur le développement de la confiance entre les individus avant de faire des affaires. Aussi, il est recommandé de toujours employer les mêmes personnes pour travailler sur un dossier avec les Brésiliens. Cette façon de faire est essentielle pour plusieurs cultures.

- Votre documentation devra être impeccable et traitée avec respect. On ne dépose pas abruptement un document sur une table de réunion, ce serait un manque de savoir-vivre flagrant à leurs yeux.

- Planifiez vos réunions longtemps à l'avance ; ils n'apprécient pas les déplacements de dernière minute.

- Ils reprochent aux Américains, dont nous sommes, de commencer trop rapidement une réunion, sans accorder quelques minutes pour le bavardage. Durant vos réunions, servez-leur un café bien corsé ; ils apprécieront. Oubliez la tasse en carton ou en styromousse provenant de votre machine à café. Utilisez la porcelaine comme vous devriez le faire pour tous les visiteurs.

- Savez-vous que, comme nous, ils ont le problème du vouvoiement et du tutoiement ? Donc, avant d'insulter quelqu'un, informez-vous sur les nuances et les subtilités de la langue portugaise.

Les repas

- Le petit déjeuner d'affaires ne fait pas partie de leurs coutumes, mais il semble de plus en plus faire partie de la vie professionnelle.

- Les réunions d'affaires se passent durant le lunch du midi qui dure environ deux heures, ou le repas du soir qui se prolonge pendant plus de trois heures.
- Pour les Brésiliens, le repas du soir est formel. Il débute généralement vers 20 h 30.
- Il est habituellement précédé d'un cocktail.

Les cadeaux

- On n'offre pas de cadeaux lors d'une première rencontre ; invitez-les plutôt au restaurant. Les cadeaux s'offrent au restaurant, hors du contexte d'affaires. On favorise ainsi l'aspect social des affaires.
- N'offrez pas de cadeaux trop chers et surtout pas d'objets pointus ou trop personnels.
- Le mauve ou le violet est la couleur du deuil ; évitez donc de choisir un objet ou un emballage de ces couleurs.

Canada anglais

Les salutations

- Les Canadiens anglais utilisent la célèbre phrase « *How are you ?* » lors d'une rencontre, tout comme les Américains.
- Ils donnent la poignée de main à l'arrivée et au départ. Ils attendent que les femmes leur tendent la main d'abord.
- Les plus jeunes n'attendent pas ; ils utilisent la règle d'étiquette des affaires qui veut que l'homme ou la femme peut faire le geste de la poignée de main.
- Le contact des yeux est important, mais pas d'une façon trop intense ou insistante.
- Ils échangent les cartes professionnelles, mais pas nécessairement au cours d'une première rencontre. Ils attendront plutôt de constater s'il y a intérêt.

La conversation

- Les Canadiens anglais parlent de sujets légers comme : la température, les changements climatiques, le golf, le hockey, le football, le baseball, le tennis, les voyages.
- Ils éviteront ces sujets qui demeurent tabous : la politique, la religion, le racisme et, surtout, la séparation du Québec du reste du Canada.

La hiérarchie

Ils respectent la hiérarchie et les titres. Ils utilisent les titres officiels : Madame, Monsieur, docteur, monseigneur, maître, etc.

La ponctualité

- Les Canadiens anglais sont ponctuels et s'attendent à la même attitude en retour.
- La ponctualité peut varier d'une culture à l'autre, car on sait que le Canada est peuplé de gens d'origines différentes. C'est ce qui fait son charme d'ailleurs !

Les repas

- Les Canadiens anglais utilisent pour la plupart la façon américaine de manger.
- Ceux qui voyagent utilisent de plus en plus la façon continentale de se tenir à table.
- Ils ont l'habitude des petits déjeuners d'affaires, qui s'étalent sur une heure et demie environ, et des réunions tôt le matin.
- Il serait impoli de commencer à manger tant que tout le monde n'est pas assis.
- Ils ont aussi l'habitude des lunchs d'affaires qui durent entre une heure et demie à deux heures.

Les traits particuliers

- Les Canadiens anglais sont distants, calmes, tolérants, discrets et conservateurs dans leur habillement.
- Ils sont polis et s'intéressent grandement aux autres cultures.
- Ils ont gardé de solides liens avec la Grande-Bretagne ; leur attachement à la monarchie britannique en fait foi.
- Les femmes sont présentes dans le monde des affaires et occupent des postes clés.
- Hommes et femmes peuvent exprimer leurs opinions et les partager.
- Ils savent écouter, mais ils n'aiment pas les négociations trop longues et ardues.
- Ils acceptent facilement qu'un négociateur soit remplacé par un autre, contrairement à d'autres cultures qui voudront toujours faire affaire avec les mêmes personnes.

Les cadeaux

- On offre des cadeaux à l'occasion de Noël et du Nouvel An en guise d'appréciation de la clientèle. On le fait aussi lors de la signature d'une entente importante pour signaler sa reconnaissance.
- À surveiller, la culture et la religion des gens auxquels on pense offrir un cadeau.
- On misera sur des objets de qualité avec ou sans le logo de son entreprise. Les cadeaux portant le logo de l'entreprise sont plutôt considérés comme des articles promotionnels.

Chili

Les salutations

- Les Chiliens se tiennent très près des gens comme la plupart des gens de l'Amérique du Sud.

- Les hommes se donnent la main; cette pratique est courante et importante.
- Souvent, la femme touchera le bras droit de son interlocuteur plutôt que de donner la main. Entre femmes, elles se font la bise ou l'accolade.
- Les Chiliens distribuent beaucoup de cartes professionnelles et apprécient que celles-ci soient en espagnol.
- Offrez votre carte avec un sourire chaleureux. Gardez-les dans un porte-cartes en guise de respect pour le précieux papier.

La conversation

- Les Chiliens sont très patriotiques. Parlez-leur de l'histoire et de la situation économique de leur pays, mais ne touchez pas à la politique ou à la religion.
- Ne comparez pas le Chili et l'Argentine.
- Ils interrompent souvent les gens lors d'une conversation; pour eux, il s'agit d'une marque d'intérêt et non d'un manque de politesse.
- Parmi leurs sujets de conversation préférés: les voyages, le sport, la nourriture, le vin qu'ils produisent et exportent en quantité, les arts, la famille et les enfants.
- Ils adorent parler de tout et de rien avant une réunion. Pourquoi? Tout simplement pour mieux vous connaître et vous apprécier.

La hiérarchie

Ils respectent les aînés, la hiérarchie et les titres.

La ponctualité

- Les Chiliens peuvent être en retard de 15 à 30 minutes à un rendez-vous. Ne soyez pas offensé.
- En général, les gens d'affaires sont assez ponctuels.

Les repas
- Le petit déjeuner d'affaires ne fait pas partie de leur culture.
- Le repas du midi est le repas le plus important de la journée ; il est servi entre midi et 15 h. Ils prennent une pause de deux heures après le repas du midi.
- Si vous les recevez en réunion, prévoyez une pause composée de petits sandwichs, de thés et de pâtisseries vers 17 h ; on nomme cette pause *onces*.
- Ils apprécient la nourriture et aiment essayer de nouvelles cuisines.
- Ils connaissent les bonnes manières à table et ils vous évalueront sûrement sur votre façon de vous tenir et d'utiliser vos couverts.

Les cadeaux
- Les cadeaux ne font pas partie de la culture chilienne. Il ne faudrait pas que le fait d'offrir un cadeau soit interprété comme une façon de soudoyer les gens.
- Si vous en offrez un quand même, son prix doit être raisonnable. Offrez-le emballé, incluant une petite carte personnalisée. Il ne sera probablement pas ouvert devant la personne qui l'offre.

Chine

Les salutations
- Les Chinois développent le sentiment de confiance d'abord avec l'individu, puis avec l'entreprise. Le produit vient au troisième rang en importance dans une prise de décision.
- Les affaires se profilent lors des repas, et votre succès dépend beaucoup de l'implication sociale dont vous témoignerez.
- Ils sont prudents et se méfient des étrangers.

- Ils n'aiment pas les familiarités, les contacts physiques et le bruit; gardez vos distances.

- La poignée de main les gêne; toutefois, elle est plus modérée, moins ferme qu'en Amérique du Nord. Comme ils sont timides, attendez qu'ils tendent leur main.

- Ils s'inclinent à partir des épaules en guise de bienvenue.

- Ils salueront sans doute les aînés en premier lieu.

- Le contact des yeux est très timide et bref, parfois inexistant.

- Ils échangent les cartes professionnelles dès les premiers instants de la rencontre et en sont friands. Il importe d'inscrire les titres sur les cartes professionnelles ainsi que l'année de création de l'entreprise, car ils aiment savoir à qui ils ont affaire. Assurez-vous de remettre votre carte à l'endroit pour que l'écriture fasse face à la personne qui la reçoit. Il est conseillé qu'un côté de la carte soit imprimé dans leur langue. Prenez le temps de lire la carte qu'on vous offre et faites un compliment. Cette méthode est fondamentale pour établir de bons contacts.

- Attention au choix des couleurs, car chacune d'elles a une signification propre pour les Chinois. Optez pour un lettrage noir ou or sur blanc.

- Ne soyez pas surpris s'ils acceptent votre carte avec les deux mains ou s'ils vous remettent la leur de la même façon.

La conversation

- La Chine est un pays communiste, ne parlez donc pas de démocratie.

- Ils n'aiment pas les gens qui exagèrent.

- Évitez les sujets tabous parmi lesquels on trouve Taiwan, qui ne fait partie de la Chine. Parlez-leur plutôt de leur culture, de leur histoire et de leur pays.

La hiérarchie

- Les Chinois accordent beaucoup d'importance à la hiérarchie et aux titres.
- Ils ont un énorme respect pour leurs aînés.
- Ils nomment leur nom de famille en premier lieu suivi de leur nom générationnel et de leur prénom en dernier lieu.
- Ils entreront dans une salle de réunion par ordre hiérarchique.

La ponctualité

Les Chinois sont très ponctuels, car ils respectent le temps ; les retards les insultent.

Les repas

- Les Chinois mangent avec des baguettes.
- Le petit déjeuner d'affaires ne pas fait partie de leur culture ; le repas du soir est le plus populaire. Ils ne discutent pas d'affaires pendant un repas. Ils n'aiment pas expérimenter des mets nouveaux ; ils souffrent d'intolérance aux produits laitiers.
- Ne laissez pas de nourriture dans votre assiette ; laissez-en dans les plats de service.
- La tradition du thé est importante.
- L'assignation des places est importante tant en réunion qu'à table.
- Les toasts font partie de la tradition chinoise, tout comme en Corée et au Japon. En portant un toast, les Chinois disent *ganbei* (prononcé : gon-bay).

Les traits particuliers

- Les Chinois feront tout pour sauver la face ; c'est la base des affaires.

- S'ils sont blâmés pour une faute, cela rejaillira sur toute leur famille et c'est ce qu'ils veulent éviter à tout prix.
- Ne les faites jamais se sentir coupables.
- Ils ne savent pas dire «non».
- Ils ne sont pas expressifs ; ils ne sourient pas et utilisent des gestes fermés.
- Ils ne tolèrent pas les interruptions, mais ils ont besoin de moments de silence lors des réunions pour réfléchir. Il faut apprendre à respecter ces moments de silence sans tenter de les empêcher de réfléchir en parlant trop.
- Les transactions avec ce pays sont beaucoup plus longues qu'ailleurs.

Les cadeaux

- Les cadeaux et les pourboires sont mal vus ; soyez très discret afin d'éviter des embarras inutiles. Si vous offrez un cadeau à un Chinois, ne soyez pas surpris de son manque d'enthousiasme. Ne donnez pas d'horloges, de couvertures, de mouchoirs.
- Donnez un cadeau de groupe plutôt qu'individuel.
- Les Chinois apprécient cependant les banquets, les réceptions au restaurant ou à l'hôtel.
- Prenez le temps d'emballer vos cadeaux, mais ne vous attendez pas à ce qu'on les ouvre devant vous. Choisissez un papier d'emballage dont les couleurs sont positives pour eux. En Chine, les couleurs ont une signification qui diffère du reste du monde. Voici leur signification : blanc, synonyme de deuil, de tristesse ; rouge, excellent pour les affaires ; jaune, à utiliser avec précaution à cause de la connotation pornographique ; noir, à employer avec précaution ; vert, à utiliser sans hésitation, mais ne pas mélanger avec le rouge ; bleu, à employer avec précaution ; orange, excellent pour les affaires.

Corée du Sud

Les salutations
- Lorsque les Sud-Coréens donnent la main, ils s'inclinent légèrement.
- Les femmes ne donnent pas la main.
- Lors des présentations, ils disent leur nom de famille en premier lieu.
- Ils aiment les échanges de cartes professionnelles ; ils préféreront que les cartes soient imprimées en anglais et en coréen.

La conversation
- Ne parlez pas de socialisme, de communisme ou de politique.
- Les Sud-Coréens peuvent être assez colériques ; ne soyez pas surpris s'ils haussent le ton et s'emportent.
- Ils sont très discrets et couvrent leur bouche lorsqu'ils rient.

La hiérarchie
- Les titres et la hiérarchie sont importants, car ils sont révélateurs du statut de la personne.
- Les Sud-Coréens feront affaire avec des gens ayant le même niveau hiérarchique que le leur. Ils ne discutent pas avec les subalternes.
- Ils aiment négocier face à face.
- Ils préfèrent plusieurs rencontres pour régler des petits segments à la fois.
- La documentation leur sera remise segment par segment plutôt qu'un seul document à la fois. Après chaque segment, offrez-leur la chance d'en discuter.
- À la fin d'une réunion, résumez le tout du début à la fin.

La ponctualité

La ponctualité n'est pas leur priorité. Ils s'attendent cependant à ce que vous soyez ponctuel.

Les repas

- Le repas du soir est le plus important de la journée et il se prend entre 19 h et 21 h.
- Ils ont l'habitude de manger assis par terre sur des coussins. La nourriture est servie sur des tables basses.
- Ils enlèvent leurs souliers avant d'entrer dans une maison ou au restaurant.
- Les femmes ne sont pas présentes lors des repas.
- Ils ne sont pas bavards ; ils se concentrent plutôt sur la nourriture.
- Ils utilisent des baguettes, mais ils ne s'objectent pas à ce que vous vous serviez des couverts ordinaires.
- Ils se servent de leur main droite pour passer ou pour recevoir les plats, ainsi que pour porter la nourriture à leur bouche.
- Ils mangent des soupes, du riz accompagné de plats de légumes, de viandes comme le poulet, le porc et le bœuf. La majorité des plats sont épicés. Les nouilles sont également populaires.
- Ils déposent les os et les coquilles directement sur la table ou dans une assiette prévue à cet effet.
- Lorsque vous les recevrez ici, invitez-les à trois reprises, car ils sont timides et ils refuseront les deux premières offres.
- Les personnes âgées seront servies en premier lieu et elles recevront leur verre avec les deux mains. Les Sud-Coréens sont de très grands consommateurs d'alcool. Si vous voulez leur faire plaisir, invitez-les à un bar. Ils se souviendront de tout ce qui a été dit, même si l'alcool coule à flots.

Les traits particuliers

- Les femmes ne sont pas présentes dans le milieu des affaires, donc elles ne sont pas très bien acceptées. Ce sont les hommes qui dominent.
- Il se peut, Madame, que votre visiteur coréen ne vous tende pas la main et ne vous salue même pas. N'en soyez pas offusquée !
- Les femmes aident les hommes à enlever ou à mettre leur manteau.
- Ne vous mouchez pas devant eux.
- Les rencontres sociales reliées aux affaires sont cruciales ; elles se passent au bar ou au restaurant.

Les cadeaux

- Les Sud-Coréens s'attendent à recevoir des cadeaux ; optez pour des articles portant votre logo ou pour des objets typiquement canadiens ou québécois.
- Si vous donnez des cadeaux à plusieurs personnes, offrez de plus gros cadeaux aux personnes les plus hautes dans la hiérarchie. Ils n'ouvrent pas les cadeaux devant les gens qui les offrent.
- Le rouge est une couleur populaire ainsi que le bleu.

Espagne

Les salutations

- Les salutations sont chaleureuses et courtoises.
- Les Espagnols sont diplomates et polis. L'accolade se pratique couramment en affaires et il serait impensable de reculer, car cela pourrait heurter les gens.
- Les poignées de main sont brèves mais fermes.
- Le contact des yeux est important.

- Les présentations sont formelles.
- Ils échangent les cartes professionnelles.

La conversation

- La conversation est animée ; les Espagnols gesticulent beaucoup en parlant.
- Attention toutefois aux gestes que vous faites devant eux car ils ont des significations différentes et ces dernières peuvent même varier d'une région de l'Espagne à une autre.
- Les Espagnols pourront vous interrompre durant une conversation non par manque de politesse, mais par intérêt. Lors des réunions, vous risquez de vous faire interrompre souvent.
- Ne prévoyez pas une réunion après le repas du midi, car ils ont l'habitude de faire la sieste.

La hiérarchie

- Les Espagnols évalueront les connaissances d'un individu en le regardant agir.
- La reconnaissance et le respect de la hiérarchie sont très importants. Ils respectent les titres au plus haut point.

La ponctualité

Les Espagnols ne sont pas très ponctuels ; pourtant, ils s'attendent à ce que vous le soyez.

Les repas

- Les petits déjeuners d'affaires ne font partie de leur culture.
- Ne planifiez pas vos réunions trop tôt le matin.
- Le repas du midi se prend entre 13 h et 14 h et est plutôt bref. Le repas du soir se prend tard et est plus copieux.
- Attendez que le café soit servi avant de parler affaires.

Les traits particuliers

- Les Espagnols peuvent travailler assez tard dans la soirée.
- Ils négocieront d'égal à égal et ils n'aiment pas faire affaire avec des gens qui occupent des postes inférieurs.
- Ils sont plutôt réticents envers les étrangers et ils ne se conformeront pas à votre façon de transiger. Les affaires seront menées à leur manière, aussi bien vous y faire.
- Ils tiennent tout d'abord à développer un climat de confiance envers les individus avant de penser à transiger.

Les cadeaux

- Les cadeaux sont donnés seulement après une négociation fructueuse.
- Évitez les articles de moindre qualité; optez surtout pour un prix moyen, ni trop peu ni trop élevé.

États-Unis

Les salutations

- Les Américains utilisent énormément ces expressions plutôt banales comme : *« How do you do ? »*, *« How are you doing ? »*, *« What do you do ? »*, *« Nice to meet you »*. Il s'agit d'automatismes qui peuvent devenir agaçants.
- Pour montrer de la sympathie lors des présentations, on utilise souvent le prénom. Préparez-vous à répondre aux trois principales questions qui vous seront posées : *« Where do you come from ? »*, *« What's your business ? »*, *« Do you have children ? »*.
- Les hommes et les femmes donnent la main.
- De plus en plus on pratique la bise sur une seule joue.
- Le contact des yeux est considéré comme une marque de sincérité. Il est rapide, pas trop insistant.
- Ils échangent les cartes professionnelles.

La conversation

- Les Américains font des compliments pour tout et pour rien.
- Ils aiment rire et s'amuser.
- Parmi les sujets de conversation préférés : le sport, leurs vedettes sportives, le cinéma, le travail, l'entreprise, les affaires. La politique est un sujet très délicat, suivi de la religion.
- Ils savent vous mettre à l'aise.
- Il n'est pas choquant de raconter ses exploits financiers lors d'une conversation. Ils aiment les gagnants et leurs histoires les fascinent.

La hiérarchie

- Les Américains sont familiers et utilisent trop souvent les prénoms des gens plutôt que le nom de famille. Ils emploient aussi des diminutifs comme Bill à la place de William, etc. On leur reproche leur trop grande familiarité.
- Les habitudes sont différentes d'un État à un autre. Les règles sont plus strictes sur la côte est et dans le sud, et plus relâchées sur la côte ouest.

La ponctualité

- Les Américains sont en général très ponctuels ; ils n'apprécient pas les retardataires.
- Ils respectent le temps car, pour eux, le temps c'est de l'argent et l'argent c'est leur *business*.
- Ils respectent l'ordre du jour au détriment de l'humain.

Les repas

- Les Américains raffolent de thé glacé et de boissons gazeuses, même le matin.
- Les danoises, les pains sucrés, les fruits et le fromage font partie de leurs pauses matinales. N'oubliez pas le déca et le thé.

- Le petit déjeuner d'affaires est courant pour eux. Ils dînent à 12 h 30 et soupent à 19 h.
- Au restaurant, ils commandent un thé glacé ou une boisson gazeuse avant de commander le repas. Ils utilisent la façon américaine de manger et peuvent se servir de leurs doigts pour certains mets.

Les traits particuliers

- Les Américains sont directs et montrent leur désaccord sans détour.
- Ils sont peu tolérants envers la lenteur.
- Ils sont plutôt individualistes.
- Ils deviennent familiers trop rapidement.
- Ils ne consacrent pas assez de temps au développement des relations humaines.
- Ils ne se gêneront pas pour avoir recours aux tribunaux pour régler les litiges alors que pour d'autres cultures, il ne faut même pas prononcer le mot «avocat», «loi» ou «tribunal».
- Ils sont fiers de leurs gratte-ciel et sont superstitieux en ce qui a trait au 13e étage.

Les cadeaux

Les Américains ne s'attendent pas à recevoir de cadeaux; ils peuvent même oublier d'en offrir. Ils n'accordent pas tellement d'importance à ces détails.

France

Les salutations

- Les Français sont particulièrement sensibles aux bonnes manières; ils s'y connaissent en la matière et jugent donc sévèrement les bévues commises par les étrangers.

- Ils sont de nature méfiante. Lorsque vous désirez établir un contact d'affaires, faites-vous présenter par quelqu'un qui connaît déjà la personne que vous désirez rencontrer. Il faut prendre rendez-vous longtemps à l'avance en ayant soin de le confirmer.

- Le tutoiement n'est pas de mise.

- La poignée de main est très importante. Les Français la donnent à l'arrivée et au départ.

- Pour eux, une poignée de main trop ferme est considérée comme impolie. Leur poignée de main est moins ferme qu'en Amérique.

- L'accolade est admise lorsqu'on devient plus familier avec eux. Elle se pratique entre hommes également.

- Le contact des yeux est important, sans être exagéré.

La conversation

- Les Français sont très directs dans leurs questions, leurs remarques et leurs recommandations. Ils le sont toutefois beaucoup moins dans leurs réponses ou leurs décisions ; parfois même, elles peuvent être ambiguës.

- Ils sont pointilleux sur les détails et pourront vous mettre dans l'embarras si vos documents ou votre conversation ne sont pas assez clairs.

- Ils peuvent devenir provocateurs et hausser le ton lors des réunions ; c'est leur façon de s'affirmer.

- Ils sont logiques.

- Si vous n'êtes pas bien préparé et que vous leur semblez farfelu, vous serez pénalisé.

- Évitez de parler de politique, de religion et de racisme.

- S'ils posent des questions sur la séparation du Québec ou sur le point de vue du gouvernement américain, n'encouragez pas la conversation.

La hiérarchie

- La noblesse et le pouvoir comptent beaucoup en France depuis des siècles ; c'est dans leur culture.
- La structure hiérarchique est très présente et assez lourde.
- La bureaucratie et les procédures administratives sont plus importantes que l'efficacité ou la flexibilité.
- Sur vos cartes professionnelles, utilisez vos titres (bachelier, docteur, maître, architecte, ingénieur, etc.).
- Utilisez les titres dans votre correspondance (lettre, télécopieur ou courriel).
- L'image, le comportement et les gestes sont très significatifs et ils les étudient discrètement.
- Ne soyez pas avare d'explications et ne manquez surtout pas de documentation.

La ponctualité

- Ne soyez pas surpris s'ils arrivent en retard à un rendez-vous ou à une réunion ; cela fait partie de leur culture.
- Ils préfèrent les rencontres avant le lunch du midi ou au retour du lunch.

Les repas

- Le repas du midi est plus léger que le repas du soir. Le repas du soir est servi vers 20 h 30 et peut se prolonger jusqu'à 23 h.
- Le lunch n'est pas un moment pour parler affaires. Il sert plutôt à établir ou à solidifier des liens dans le but de mieux se connaître. Toutefois, si vous devez parler affaires, attendez le moment du dessert.
- L'étiquette à table est primordiale. Aucun faux pas n'est pardonné.
- Lors des sorties au restaurant, choisissez un endroit réputé pour la qualité de ses vins et de sa cuisine.

- Utilisez les couverts à la façon européenne. On appréciera votre savoir-vivre et ce sera un point de plus en votre faveur.

Les traits particuliers

- Les hommes se lèvent lorsqu'un supérieur entre dans une pièce.
- Certains gestes considérés comme corrects dans certains pays ne le sont pas pour les Français: claquer des mains, lever le doigt pour attirer l'attention, faire le «OK» (geste de former un cercle avec le pouce et l'index, tel qu'utilisé en Amérique) signifie «zéro» ou «nul».
- Les hommes sont galants et pratiquent l'étiquette sociale même en affaires

Les cadeaux

- Les cadeaux ne font pas partie de la culture française. Toutefois, ils les accepteront, mais discrètement. N'incluez pas votre carte professionnelle avec votre cadeau.
- Choisissez une carte spécialement pour eux. Ne donnez surtout pas de vin ou de champagne (ils en produisent de si bons).

Grèce

Les salutations

- La poignée de main est utilisée en Grèce; elle est ferme et chaleureuse.
- Le baisemain est encore chose très courante dans ce pays.
- Le contact des yeux est important.
- Ils échangent les cartes professionnelles.

La conversation

- Les Grecs sont très fiers de leur histoire et ne lésinent pas sur les détails.

- Ils s'expriment beaucoup avec les gestes.
- Ils peuvent être bavards lors des réunions et ils dévient facilement de l'ordre du jour.
- Pour dire oui (*né*), remuez la tête de gauche à droite, exactement comme lorsqu'on dit non. Pour dire non, secouez la tête de bas en haut en ajoutant une mimique des sourcils.
- Les Grecs n'apprécient pas se faire rappeler l'occupation turque qui a laissé de mauvais souvenirs. Évitez le sujet de la politique.
- La famille représente la base de leur vie sociale.
- Ils veulent connaître les gens avant de faire affaire avec eux; les petites conversations anodines sont donc importantes afin de développer un sentiment de confiance.

La hiérarchie

Les Grecs respectent les aînés et sont courtois envers eux. Ils sont servis en premier et on les consulte avant de prendre des décisions tant personnelles que professionnelles.

La ponctualité

- La ponctualité n'est pas une priorité pour eux.
- Les gens d'affaires se conforment aux horaires.

Les repas

- Le petit déjeuner d'affaires ne fait pas partie de leur culture.
- Le repas principal de la journée est celui du midi, entre 13 h et 14 h ou 14 h 30.
- S'il s'agit du dîner, ce sera vers 22 h ou 22 h 30.
- L'apéritif est de tradition; on y sert presque toujours l'ouzo. Avant de boire, on lève son verre en disant: «*Stin yà sas!*» (à votre santé).

Les cadeaux

- Les cadeaux doivent avoir une valeur plutôt symbolique, modeste, et être enveloppés.
- Ils seront déballés devant la personne qui les offre.

Inde

Les salutations

- Les hommes peuvent donner la main aux hommes à l'arrivée et au départ; lorsqu'ils sont présentés aux femmes, ils ne tendent pas la main.
- Ils saluent en plaçant les deux paumes de leur main ensemble et s'inclinent légèrement.
- Ils ne touchent pas aux femmes.
- Les hommes doivent éviter de parler à une femme lorsqu'ils sont seuls.
- Ils échangent des cartes professionnelles dans toutes les situations, même les occasions sociales.

La conversation

- Les Indiens parlent de tout et de rien avant une réunion pour mieux vous connaître.
- Ils aiment parler de leur culture, de leurs traditions, des pays étrangers. Ils sont les plus grands producteurs de thé du monde, les deuxièmes producteurs de ciment du monde.
- Leur industrie pharmaceutique est très florissante. Ils produisent le plus grand nombre de films du monde et leur technologie est très concurrentielle.
- Ne parlez pas de sujets personnels ni de politique. Évitez de discuter de pauvreté et de l'aide internationale qu'ils reçoivent. Il s'agit d'un peuple humble.
- Ils ne montrent pas clairement leur désaccord; il faudra lire entre les lignes.

La hiérarchie

Ils sont, comme toutes les cultures anciennes, très conscients de l'importance de la hiérarchie et du respect envers les aînés et les supérieurs.

La ponctualité

- Les gens d'affaires respectent la ponctualité.
- Ils n'ont pas la même notion du temps que les Nord-Américains; soyez prêt à faire face à des changements de dernière minute.

Les repas

- Les Indiens ont adopté depuis peu la mode des petits déjeuners et des lunchs d'affaires.
- Les exigences varient d'une région à l'autre
- Ils ne mangent pas de bœuf. Par contre, le lait et le beurre font partie de leur culture.
- Certains mangent des œufs, d'autres non; beaucoup sont végétariens. Certains encore ne mangent pas de légumes-racines comme les oignons, les carottes et les pommes de terre.
- Les musulmans ne mangent pas de porc et ne boivent pas d'alcool. Utilisez toujours votre main droite pour manger; la main gauche est considérée comme souillée.

Les traits particuliers

- Les Indiens enlèvent leurs chaussures lorsqu'ils entrent dans une pièce.
- Les sikhs orthodoxes portent un turban, ne fument pas, ne coupent pas leurs cheveux et ne mangent pas de bœuf (sachez que la vache est un animal sacré).
- Utilisez votre main droite pour offrir une carte, un document, un cadeau.

Les cadeaux

- N'offrez pas de cadeau lors d'une première rencontre.
- Ne donnez pas d'objets en cuir (peau de vache ou de porc), d'alcool, d'articles en forme d'animal ou représentant un personnage. Ils aimeront des cadeaux représentatifs de notre pays, pas trop coûteux.
- Une simple photo-souvenir de leur séjour, joliment encadrée, sera appréciée. Aussi, offrez un stylo de bonne qualité (symbole de réussite).
- Pour l'emballage, optez pour des couleurs vives; évitez le noir et le blanc.

Indonésie

Les salutations

- Aucun contact physique ne se passe en public entre les hommes et les femmes, à l'exception d'une éventuelle poignée de main.
- Les Indonésiens donnent la main à l'arrivée et au départ; leur poignée de main est timide et très brève.
- L'homme ne tend pas la main à la femme; si la femme fait le geste, l'homme tendra la main.
- Ils ne sont pas pressés et prennent leur temps.
- Ils se présentent, échangent des cartes professionnelles et prennent le temps de les regarder et de les lire.
- Efforcez-vous de ne pas oublier leur nom; ils l'apprécieront.
- N'écrivez jamais de notes sur une carte qu'on vous offre.

La conversation

- Soyez calme et ne haussez pas le ton.
- Ne montrez jamais votre colère ou votre joie en public.
- Si vous posez une question, on vous répondra oui, qui dans bien des cas signifie non.

La hiérarchie

- Adressez-vous aux gens en utilisant leur titre et leur nom complet.
- Si une personne n'a pas de titre particulier, on utilisera Monsieur ou Madame suivi du prénom.
- Ils ont un grand respect pour les aînés et la hiérarchie.

La ponctualité

- Ils ne sont pas très ponctuels.
- Ne faites jamais de commentaires sur leurs retards ; par contre, ils s'attendent à ce que vous soyez présents à l'heure prévue.

Les repas

- Ne laissez pas de nourriture dans votre assiette, cela est impoli.
- Il ne faut pas utiliser la main gauche pour manger, pour donner ou pour recevoir des objets ; servez-vous de votre main droite.
- Il ne faut pas pointer avec le pied ou montrer le dessous de ses pieds.
- Ne mangez pas ou ne mâchez pas en public ou dans la rue.
- Les musulmans ne mangent pas de porc et ne boivent pas d'alcool. Pendant le Ramadan (de la mi-février à la mi-mars), ils jeûnent du lever du soleil jusqu'à son coucher.
- Lorsque vous participez à un repas au cours duquel une boisson est servie, attendez que votre hôte vous invite à boire.
- Goûtez toujours à tous les plats qui sont servis.

Les traits particuliers

- Évitez les confrontations et les manifestations de colère.
- Si vous vous sentez frustré lors d'une négociation, efforcez-vous de le cacher ; votre visage ne doit pas refléter vos sentiments.

- Il ne faut pas s'attendre à se faire répondre non clairement. On doit s'efforcer de comprendre ce qui est sous-entendu.
- Les Indonésiens ne sont pas pressés, armez-vous donc de patience.
- Près de 90 % des Indonésiens pratiquent la religion musulmane. De nombreux bureaux ferment le vendredi après-midi pour la prière ; respectez ce moment.
- Lors des rencontres d'affaires, on vous posera des questions personnelles et on parlera d'affaires plus tard.
- Il faut entretenir les relations, assister aux réceptions le soir et les fins de semaine.
- On appréciera votre modestie ; évitez la vente sous pression et les pièges. Exposez simplement votre expérience.
- Évitez de vous tenir debout, de croiser vos bras ou de poser vos mains sur les hanches.
- Si vous faites une erreur, excusez-vous plutôt que de feindre l'ignorance.

Les cadeaux

- On offre souvent de petits cadeaux ; toutefois, ils ne seront pas ouverts en présence des gens qui les offrent.
- La religion dicte des règles spécifiques en ce qui concerne le choix de cadeaux. Ne donnez pas de nourriture, d'alcool, de produit contenant de l'alcool comme les parfums, d'articles faits en peau de porc ou de vache. Une simple carte signée de votre main leur fera plaisir.

Israël

Les salutations

- Les Israéliens donnent la main aux hommes et non aux femmes, et ne prendront pas le risque de les toucher non plus.

- L'anglais est la langue des affaires.
- Ils échangeront des cartes professionnelles avec les hommes ; donnez le plus de détails possible.

La conversation
- Évitez les sujets de la guerre et de la Palestine.
- Ne leur parlez pas des autres peuples arabes.

La hiérarchie
La hiérarchie, le respect des aînés et des supérieurs, l'utilisation des titres sont importants pour eux.

La ponctualité
Ils sont ponctuels. Ils n'aiment pas attendre, ni faire attendre.

Les repas
La religion impose aux Israéliens des restrictions alimentaires. Vérifiez avec eux avant de les inviter au restaurant. Les grands hôtels et certains restaurants proposent les aliments kasher.

Les traits particuliers
- Les Israéliens sont plutôt fatalistes et émotifs.
- Les réunions commencent lentement. On y parle d'abord de sa vie et de sujets anodins.
- Ils sont de très bons négociateurs.
- Ils aiment les gens qui agissent comme eux, ne se perdent pas dans les détails et ne prennent pas de décision hâtive.
- Lorsqu'ils disent oui, cela peut signifier peut-être.

Les cadeaux
- Les Israéliens ont tendance à donner des cadeaux de grande valeur, ce qui peut déstabiliser.

- Par contre, certaines entreprises ont des politiques de non-cadeau ; les employés n'en donnent pas et ne peuvent en recevoir.

- Portez une attention particulière à la religion de la personne qui reçoit le cadeau, surtout si vous donnez des aliments. Offrez un livre en fonction de ses goûts. Les articles promotionnels sont très bien acceptés.

Japon

Les salutations

- Les Japonais saluent et s'inclinent à partir de la taille et non des épaules comme les Chinois.

- Ils utilisent de plus en plus la poignée de main, mais elle n'est pas très ferme.

- Le contact des yeux est timide et bref, voire inexistant.

- Si on s'incline devant vous, inclinez-vous légèrement en retour. Le salut est un signe de respect et d'appréciation alors que la poignée de main en est un de paix.

- Ayez une bonne provision de cartes professionnelles, car les Japonais aiment les échanger.

- Tout comme en Chine, présentez votre carte au tout début de la rencontre, autrement on pourrait penser que vous n'êtes pas intéressé à établir le contact. Aussi, offrez votre carte du côté écrit en japonais bien visible, en guise de courtoisie. Lorsque vous recevez une carte, prenez le temps de la regarder avant de la déposer dans votre porte-cartes. Comme vous le savez, les Japonais ont un grand respect pour le papier et ils en font des œuvres d'art.

La conversation

- Les Japonais aiment discuter de leur nourriture, de leurs sports et de leur pays en général.
- Ils voudront bien vous connaître avant de faire affaire avec vous.

La hiérarchie

- Ils ont un grand respect de la hiérarchie et des aînés.
- Nos méthodes expéditives peuvent leur paraître bizarres.

Les repas

- Le repas est un art pour les Japonais; la préparation, la présentation, la consommation en font partie. Un repas vite fait et bâclé pourrait les insulter.
- Ils ont l'habitude d'utiliser des serviettes humides et tièdes pour se rafraîchir le visage et les mains au cours d'un repas.
- Les Japonais considèrent les couteaux et les fourchettes comme des armes de guerre, c'est pourquoi ils utilisent les baguettes.
- Si vous pouvez vous servir des baguettes en leur présence, tant mieux.
- Ce sont de grands consommateurs de thé.
- Les toasts font partie de la tradition. Au Japon, on dit *kampai* (prononcé : kahm-paille).
- Le petit déjeuner d'affaires ne fait pas partie de leur culture.

Les traits particuliers

- On ne touche pas les Japonais.
- Le sourire est acceptable, mais pas le rire.
- Soyez bien préparé pour vos réunions. Ils ont un grand respect pour le temps et n'aiment pas le gaspiller.

Les cadeaux

- Donnez votre cadeau au moment du départ, pas avant. C'est le geste qui compte et non la valeur.
- N'offrez jamais de cadeaux en nombre de 4 (ce qui signifie la mort) et évitez le papier d'emballage blanc (cela représente la mort).
- Pour les femmes, offrez des bijoux, un foulard, des articles de décoration ; pour les hommes, des stylos de bonne qualité, des livres, du scotch, du cognac, des boutons de manchette.
- Ils ne déballeront pas le cadeau en votre présence ; n'insistez pas.

Malaisie

Les salutations

- Les Malais accordent beaucoup d'importance aux aînés et aux hauts dignitaires et ils les salueront avant tout le monde.
- Les hommes se donnent la main.
- Les aînés donnent les premiers une poignée de main timide.
- Le contact des yeux est très timide.
- Ils saluent les femmes en s'inclinant, sans donner la main.
- Les Malais échangent des cartes professionnelles et apprécient que celles-ci soient en anglais et en chinois. Ils présentent leurs cartes avec les deux mains et les reçoivent de la même manière. Offrez-en une à chacun des participants, car ils prennent le temps de la regarder.

La conversation

- Tout comme la Chine, il s'agit d'un pays communiste, donc ne parlez pas de démocratie mais plutôt de leur histoire, de leur culture, de la géographie de leur pays et de leurs sports.
- Ils n'aiment pas les gens qui exagèrent.

La hiérarchie

- Les Malais accordent beaucoup d'importance à la hiérarchie ; les aînés ont la priorité.
- L'utilisation des titres a toute son importance dans les pays asiatiques.

La ponctualité

Ils sont ponctuels et les retards les insultent.

Les repas

- Les petits déjeuners d'affaires ne font partie de leur culture. Par contre, les repas du soir sont populaires. Ils aiment festoyer.
- L'assignation des places à table est importante.
- Les Malais ne laissent pas de nourriture dans leur assiette.
- Ils ne discutent pas d'affaires à table.
- Le thé est un rituel important. Aussi, ils préfèrent la bière au vin.
- Ils n'aiment pas expérimenter des mets nouveaux et les produits laitiers ne sont pas compatibles avec leur diète.

Les traits particuliers

- La politesse et le respect des aînés sont primordiaux pour eux.
- Les Malais ne voudront jamais perdre la face lors de rencontres et devant leurs pairs.
- Les qualifications personnelles d'un individu leur donneront confiance.
- Ils apprécient une documentation très détaillée.
- Les Malais prendront beaucoup de temps avant de prendre une décision. C'est pourquoi plusieurs visites peuvent être nécessaires. Ils tiennent à développer d'abord un sentiment

de confiance. Ils négocieront encore même si une entente a été signée.

- Ils ont besoin de silence.

- Pour eux, un oui peut signifier non; apprenez à décoder leur réponse. En bref, tout réside dans la façon de poser vos questions.

- Contrôlez vos émotions, sinon vous perdrez leur confiance.

Les cadeaux

- Il importe de connaître la religion de la personne : est-elle musulmane, bouddhiste ou hindouiste? Ne donnez pas d'alcool, de cigarettes, de cadeaux personnels, de couteaux ou d'objets pointus.

- Les cadeaux se donnent au départ. Présentez le vôtre de la main droite. Toutefois, les Malais ne l'ouvriront pas devant vous.

- Les notes de remerciements sont appréciées.

Mexique

Les salutations

- Les Mexicains sont chaleureux et affables. Ils aiment toucher les gens et se tiennent très près d'eux.

- Ils donnent la poignée de main, mais ils passeront rapidement à l'accolade.

- C'est la femme qui tend d'abord la main, l'homme y répond.

- Les cartes professionnelles sont importantes. Si vous leur en offrez une en espagnol, ils seront ravis.

- Les femmes se font la bise entre elles.

La conversation

- Les Mexicains aiment parler de leur famille et s'attendent à la même chose de votre part.
- Évitez les sujets tabous. Parlez plutôt de température, de mode, de voyages, d'art, de leur pays.

La hiérarchie

Les Mexicains accordent de l'importance à la hiérarchie. Les titres comme docteur, professeur, ingénieur, avocat, architecte, Monsieur, Madame précèdent le nom de famille.

La ponctualité

La ponctualité n'est pas le point fort des Mexicains. Prévoyez une demi-heure de retard de leur part.

Les repas

- Le petit déjeuner d'affaires ne fait pas partie de leur culture.
- Si vous les invitez au restaurant, l'aîné voudra payer l'addition. Pour éviter ce dilemme, réglez l'addition en retrait.
- Les Mexicains peuvent même marchander le prix du repas.

Les traits particuliers

- Préparez une bonne présentation visuelle pour les réunions. Ils apprécient une documentation en espagnol.
- Une réunion se termine toujours par une poignée de main positive. Ils ne savent pas dire non ; ils diront plutôt « peut-être », « nous verrons ».
- Les négociations sont longues avec les Mexicains et vous devez mériter leur confiance.
- Ils sont émotifs et fiers.
- Ils connaissent bien leur marché et donnent librement leur opinion.

- Ils aiment comparer les prix et négocier.
- C'est la personne qui occupe le plus haut rang qui prendra la décision finale.

Les cadeaux

- Ils n'ont pas l'habitude de donner des cadeaux en affaires. Cela peut même les blesser d'en recevoir un de votre part.
- Si vous en offrez un, choisissez un objet modeste qui porte le logo de votre entreprise.
- N'offrez pas de cadeau en métal ou en argent, de couteau ou d'objet pointu.

Russie

Les salutations

- La poignée de main est courante ; elle est ferme et consiste en plusieurs gestes rapides pour les hommes.
- Les hommes attendront que la femme présente sa main d'abord. Il est possible qu'ils n'y répondent pas.
- La poignée de main des femmes est moins ferme que celle des hommes.
- Le contact des yeux est important et vous devrez le maintenir tant qu'on s'adresse à vous.
- Ils utilisent et échangent les cartes professionnelles. Sur celles-ci, indiquez votre titre et votre niveau universitaire. Ils apprécient que vos cartes soient en russe.
- Si vous voulez que votre documentation soit lue plus rapidement, faites-la traduire en russe.

La conversation

- Habituellement, les Russes ont trois noms : le premier est le prénom ; le deuxième, le prénom du père (pour les hommes, il se termine en « vich » ou « ovich », ce qui signifie « fils de ») ;

le dernier, le nom de famille du père. Lorsqu'il s'agit d'une femme, le nom du centre est aussi le prénom du père suivi de «a» ou «ova», ce qui signifie «fille de». Lorsque vous deviendrez plus intime, vous serez invité à utiliser le prénom et le patronyme (nom du centre).

- Ne critiquez pas leur pays et ne parlez pas de la Deuxième Guerre mondiale, du tsar, de la monarchie et de la religion, mais plutôt des similarités avec le Canada, des livres, des arts et du cinéma.

La hiérarchie

Les entreprises russes sont très hiérarchisées. Si vous désirez obtenir des décisions ou des réponses rapidement, adressez-vous directement aux dirigeants et non aux subalternes.

La ponctualité

- Soyez toujours ponctuel, mais ne vous attendez pas à la même chose de leur part.
- Il n'est pas rare qu'ils retardent leur arrivée d'une ou deux heures. Il importe donc de planifier assez de temps entre deux rendez-vous.

Les repas

- Le petit déjeuner d'affaires ne fait pas partie de leur culture.
- Les Russes ne négocient pas ni ne prennent de décisions lors d'un repas.
- Ils utilisent la façon européenne de manger. Ils savent aussi comment utiliser le couvert et pourront évaluer votre façon de faire. Comme dans la plupart des pays, les mains doivent être visibles sur la table en tout temps.
- La tradition veut que les gens boivent avec leurs contacts russes. Il est même impoli de refuser de le faire.
- C'est la personne qui invite qui paie l'addition mais, en guise de politesse, ils s'offriront à payer.

Les traits particuliers

- Lors des réunions, ayez une bonne quantité de boissons ga-zeuses, de thé, de café, de pâtisseries, de biscuits et d'autres friandises.
- Ne vous servez pas de contenants en plastique ; cela leur paraîtra impoli.
- Les premières rencontres ne sont pas nécessairement con-cluantes, et ils ne prennent pas de décisions sur-le-champ. Il s'agit d'une façon de prolonger les choses pour mieux vous connaître.
- Les Russes respectent les Occidentaux et ils s'attendent à un rendement élevé.
- Ils vous diront peut-être les choses que vous désirez entendre, ce qui ne reflète pas nécessairement leur pensée véritable.
- Les femmes qui occupent des postes supérieurs sont rares. Il s'agit d'un défi de taille pour elles de tenter de faire des affaires dans ce pays.

Les cadeaux

- Les Russes aiment donner et recevoir des cadeaux. Ils ou-vrent leurs cadeaux en privé.
- Ils apprécient les stylos plumes, le vin ou l'alcool, les pa-niers gourmets, les thés ou les cafés fins.
- Sur une base plus personnelle, ils aimeront recevoir une montre, un livre, un briquet, un appareil photo.

Suède

Les salutations

- La plupart des Suédois parlent et comprennent l'anglais.
- Ils donnent la main lors des premières rencontres et devien-nent plus démonstratifs par la suite, lorsqu'ils vous con-naissent mieux.

- Ils iront jusqu'à l'accolade mais, en général, ils n'aiment pas les contacts physiques.
- Ne faites pas le premier l'accolade ou la tape dans le dos. Attendez.
- Ils échangent des cartes professionnelles.

La conversation

- Ne demandez pas de questions personnelles, car cela peut être offensant. D'ailleurs, les Suédois ne vous poseront pas de questions sur votre famille ou votre travail.
- Ils n'aiment pas les conversations superficielles.
- Ils n'ont pas de difficulté avec les moments de silence.
- Ils sont très fiers de leur pays. Documentez-vous sur celui-ci pour pouvoir en parler en toute connaissance.
- Ils apprécient que vous fassiez la différence entre la Norvège, la Suède et le Danemark.
- Ils sont très près de la nature.
- Parmi les sujets de conversation préférés, notons : le voyage, la culture suédoise, le hockey, les arts, l'histoire de leur pays, les vacances, les sports, la musique, la philosophie, la nature.
- Évitez les critiques envers les autorités ainsi que toute conversation sur leur origine, la hiérarchie, l'économie, le coût de la vie élevé, leur culture, la famille, les revenus.
- Si vous venez tout juste de les rencontrer, ils n'apprécieront pas les compliments.
- Ne comparez pas leur sens de l'humour avec celui des autres peuples.

La hiérarchie

- Les Suédois respectent la hiérarchie et savent déléguer. Il importe donc de connaître celle de l'entreprise avec laquelle vous désirez faire des affaires avant de commencer des négociations.

- Utilisez Monsieur ou Madame, suivi du nom de famille (et non le prénom), ainsi que les bons titres.

La ponctualité

- Ne soyez pas en retard tant dans les rencontres sociales que professionnelles.
- Si vous prévoyez l'être, il est impératif d'appeler et d'informer les gens que vous devez rencontrer que vous avez un contretemps. Vous devez avoir une bonne raison.
- Il n'est pas bien vu d'arriver en retard à un repas, à un *party* ou à d'autres occasions sociales ou professionnelles.
- Prenez vos rendez-vous à l'avance et confirmez-les.
- Ils n'apprécient pas lorsque vous changez l'heure ou la date d'une réunion; en outre, il s'en tiennent toujours à l'ordre du jour.
- Pour eux, le meilleur temps pour les réunions est de 9 h à 10 h ou de 14 h à 16 h.

Les repas

- Le petit déjeuner d'affaires n'est pas courant en Suède, sauf pour les gens qui voyagent beaucoup.
- Leur petit déjeuner est pris entre 7 h et 9 h. Il inclut: des céréales, du pain et du beurre, des confitures, des fruits, du fromage, du hareng, des marinades, du thé ou du café.
- Les Suédois prennent des pauses à 10 h et à 16 h.
- Pour le lunch, qui a lieu entre midi et 13 h, choisissez un restaurant bien coté. Les réunions ont plutôt lieu durant ce repas, mais aucune décision ne sera prise à ce moment. D'ailleurs, attendez que votre invité suédois parle d'affaires avant de vous lancer.
- Les Suédois boivent du vin ou de la bière, mais certains préfèrent l'eau ou les boissons gazeuses.

- Ils prennent peu de temps et se contentent d'un sandwich ouvert garni d'un assortiment de viandes froides, de fromages et de légumes.
- Le repas du soir compte quatre services : le poisson, la viande, la salade et le dessert. Le café est servi au salon.
- La majorité des repas contiennent des poissons. Le saumon (pensez à leur célèbre gravlax) et l'aneth se trouvent sur toutes les tables.

Les traits particuliers

- Pour eux, le fait de travailler tard n'est pas considéré comme un plus ; cela signifie plutôt un manque d'organisation ou de personnel qualifié.
- Ne prévoyez pas de rendez-vous ou de visites à la fin de février et au début de mars ainsi que durant les mois de juin, de juillet et d'août parce que les Suédois prennent souvent leurs vacances à ces moments-là. Ils ont cinq semaines de vacances par année et ils ne travaillent pas durant les fêtes, soit du 22 décembre au 6 janvier.
- Ils aiment faire affaire avec des gens qualifiés et expérimentés, de préférence les cadres supérieurs.
- Ils ont le sens du détail et sont très méthodiques. Il faut donc leur présenter des documents très bien détaillés et logiques.
- Ils voudront d'abord créer un lien de confiance avant de décider de faire affaire avec vous.
- Il importe de ne pas montrer vos émotions. Ils vous apprécient si vous êtes calme, réservé et même timide.
- Les Suédois n'aiment pas les confrontations et les situations conflictuelles ; ils préfèrent la sincérité et le sérieux à la camaraderie.
- Ils ne sont pas très démonstratifs et sont plutôt avares de compliments
- Ils consultent leurs employés avant de prendre des décisions.

- Les hommes et les femmes sont généralement traités avec égalité dans ce pays. Les uns comme les autres peuvent prendre des décisions finales.
- Si vous parlez un peu leur langue, faites l'effort de dire quelques mots, ils l'apprécieront.
- Il est important de saluer les gens à l'arrivée et au départ.

Les cadeaux

- En général, il n'est pas coutume de donner des cadeaux dans la culture professionnelle suédoise. Il est préférable d'attendre que votre collègue suédois vous offre un cadeau d'abord avant de lui en offrir un.
- Les cartes de souhaits à l'occasion des fêtes sont appréciées en signe de remerciement. Vous devez les poster environ une semaine avant Noël pour qu'ils les reçoivent à temps.
- Si vous concluez une bonne affaire, vous pouvez offrir un cadeau pratique : livre, accessoires de bureau.

Venezuela

Les salutations

- Les Vénézuéliens sont très chaleureux. Ils se tiennent près des gens et aiment toucher.
- Les hommes se font souvent la bise entre eux. Les femmes s'embrassent sur la joue.
- Leur poignée de main est franche et ferme. Elle est utilisée dans toutes les occasions.
- Ils font l'accolade dès les premières rencontres.
- Le contact des yeux est important, car il s'agit d'une marque d'intérêt.
- Ils distribuent et acceptent bon nombre de cartes professionnelles dès le début de la rencontre. Ils seront ravis que la vôtre soit aussi en espagnol.

La conversation

- Ils aiment parler de leur culture, des arts, de baseball et de soccer.
- Évitez les sujets personnels ainsi que la politique, la religion et l'influence des États-Unis sur l'Amérique du Sud.
- Ils sont plutôt directs.

La hiérarchie

La hiérarchie est importante pour eux. Ils accordent beaucoup d'importance aux titres et à l'assignation des places.

La ponctualité

Les gens d'affaires sont en général très occupés. Ils sont ponctuels et apprécient que vous respectiez le temps.

Les repas

- Ils adorent les sorties au restaurant. Invitez-les. Si les épouses les accompagnent, invitez-les aussi.
- Les repas d'affaires sont des prétextes à une activité sociale.
- Portez un toast en disant « *Salud!* ».
- Le repas du midi est assez copieux et celui du soir est pris très tard. Ils utilisent la façon continentale de manger. Ne payez pas l'addition devant eux, faites-le en retrait.
- La posture à table est capitale.
- Ils sont amateurs de café corsé.

Les traits particuliers

- Les Vénézuéliens ont horreur des mots « avocat » ou « juridique ».
- Ils voudront bavarder avec vous avant les réunions afin de mieux vous connaître. Le rythme des affaires est lent.
- Préparez votre documentation en espagnol.

- Si vous leur faites parvenir des documents par la poste, par télécopieur ou par courriel, vérifiez toujours s'ils les ont bien reçus.
- Les femmes sont très présentes et occupent des postes de haut niveau. Ils ne seront donc pas surpris de voir des femmes assister à une réunion.

Les cadeaux

Attendez de connaître la personne avant de donner un cadeau. Offrez-leur des articles de bureau, par exemple un stylo de bonne qualité.

Bibliographie

HAMEL, Colette et Ginette SALVAS. *C'est moi! ma personnalité... mon style*, Montréal, Éditions Communiplex, 1992.

SALVAS, Ginette. *L'étiquette en affaires: l'art de gérer ses affaires avec classe,* Outremont, Éditions Quebecor, 2003.

***

Pour joindre l'auteure, veuillez consulter son site Internet:
www. ginettesalvas.com
ou lui écrire à:
etiquette@ginettesalvas.com

Table des matières

Deuxième partie

Le savoir-faire

Troisième partie

Le savoir-faire international